ESPAÑA A VISTA DE PÁJARO

THE SCRIBNER SPANISH SERIES FOR COLLEGES

General Editor, Juan R-Castellano
Duke University

España
a vista de pájaro

by Concha Bretón   WELLESLEY COLLEGE

and Rose Martin   MIDDLEBURY COLLEGE

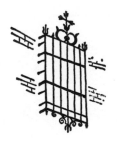

ILLUSTRATED BY PRINDLE WISSLER

CHARLES SCRIBNER'S SONS, NEW YORK

PRINTED IN THE UNITED STATES OF AMERICA

End paper map by Rafael Palacios

A mi madre Concha Marfil

A mi madre Mary Wakelin

PREFACE

España a vista de pájaro is designed as a reading and conversation book which will serve as an introduction to Spain and
its culture. It may be begun after eight weeks' study of grammar at the college level or in second year high school classes.
It is especially planned to be used in conjunction with the
study of grammar. A different grammar point has been introduced in each chapter and repeated at intervals in the following lessons. The material is graded in difficulty throughout.

The active vocabulary and expressions selected from the
text of each chapter will enable the student to retell the contents in simple Spanish. While the Buchanan list has served
as a guide for general vocabulary, words of low frequency in
the list and a few not on the list have been introduced at times
due to the nature of the material treated. These words have
been translated or explained in the footnotes. From time to
time words which have already appeared in the text have been
placed in the active vocabulary, partly because of the contents
of the lesson but also as a learning device for the transfer from
the passive to the active vocabulary of the student.

The exercises based on the text have been especially pre-
pared for conversation and oral composition and may be used
with a tape recorder, if so desired.

We wish to acknowledge our indebtedness to Srta. Justa Balló of the Biblioteca Central of Barcelona for her valuable help in providing us with up-to-date data; to Professors Ada M. Coe and Justina Ruiz-de-Conde of Wellesley College for their careful and patient reading of the proofs; and especially to Professor Juan Rodríguez-Castellano of Duke University for his numerous suggestions and helpful and wise counsel throughout the preparation of this text.

C. B.
R. M.

ÍNDICE

PATRIA GRANDE

PATRIA CHICA

ÍNDICE DE GRABADOS

PATRIA GRANDE

Cuando el hombre nace hereda una tradición, una historia, una civilización, una cultura, una lengua y una aspiración. Estos son los lazos que unen a los habitantes de una misma nación y los hacen parte de una gran familia, dispuestos a amar y a defender su país, su *patria grande*.

ESPAÑA A VISTA DE PÁJARO[1]

E SPAÑA tiene fama de ser un país de muchas leyendas. Hay una leyenda muy interesante que sitúa allí[2] el famoso "Jardín de las Hespérides," lugar bello, fértil y alegre; especie de paraíso terrenal.[3] Es, quizás, por esta razón *Hesperia* uno de los nombres con que se conoce a España[4] en la 5 antigüedad.

España y Portugal son los dos países que forman la Península Ibérica, situada en el extremo sudoeste de Europa. La Península Ibérica es, de las tres grandes penínsulas del sur del continente (las otras son Italia y Grecia), la de mayor 10 extensión.[5] De este territorio Portugal ocupa algo más de la sexta parte,[6] España el resto, o sea[7] unas 194.000 (ciento noventa y cuatro mil) millas cuadradas,[8] aproximadamente cuatro veces la extensión del estado de Nueva York.

España limita al norte con el Mar Cantábrico, los Montes 15 Pirineos y la pequeña república de Andorra; al este con el

---

[1] **España a vista de pájaro** A Bird's-Eye View of Spain
[2] **sitúa allí** places there
[3] **especie de paraíso terrenal** a sort of earthly paradise
[4] **se conoce a España** Spain is known
[5] **la de mayor extensión** the largest
[6] **algo más de la sexta parte** a little over one sixth
[7] **o sea** that is to say   [8] **millas cuadradas** square miles

3

Mar Mediterráneo; al sur con el Mar Mediterráneo, el Estrecho de Gibraltar y el Océano Atlántico, y al oeste con Portugal y el Océano Atlántico.

Casi toda la costa está bordeada de[9] cordilleras. Estas
5 cordilleras son como murallas que rodean la vasta altiplanicie[10] interior, cuya extensión abarca casi dos terceras partes[11] de la Península. Su región más alta, que tiene el nombre de Meseta Central, tiene una elevación de más de dos mil pies. Por eso es España, después de Suiza, el país de mayor altitud media
10 de[12] Europa.

Las montañas que limitan o cruzan la meseta son: los Montes Cantábricos y los Montes Pirineos al norte; la Sierra de Guadarrama y los Montes de Toledo en el centro; la Sierra Morena y la Sierra Nevada en el sur. La Cordillera Ibérica es
15 la única que cruza el país de norte a sudeste.

Cuatro ríos principales corren de este a oeste y desembocan[13] en el Océano Atlántico: el Duero, el Tajo, el Guadiana y el Guadalquivir; el quinto, el Ebro, desemboca en el Mar Mediterráneo. Hay ciudades importantes situadas a orillas
20 de[14] estos ríos. El río Guadalquivir es navegable hasta Sevilla. El Ebro es también navegable cerca de su desembocadura.

España está dividida en cincuenta provincias. Por razones históricas y geográficas estas provincias se agrupan[15] en trece regiones: Cataluña, Valencia, Murcia, Andalucía, Extrema-
25 dura, León, Galicia, Asturias, Castilla la Vieja, Castilla la Nueva, Provincias Vascongadas, Navarra y Aragón.

Madrid es la capital de España. Está situada en el centro del país. Es la ciudad de España que tiene más habitantes. Según el último censo, 1954 (mil novecientos cincuenta y

[9] bordeada de bordered by   [10] altiplanicie plateau
[11] abarca casi dos terceras partes   comprises almost two thirds
[12] mayor altitud media de   the highest median altitude in
[13] desembocan flow into   [14] a orillas de   on the banks of
[15] se agrupan are grouped

cuatro), tiene 1.618.435 (un millón seiscientos diez y ocho mil cuatrocientos treinta y cinco) habitantes. También son ciudades grandes Barcelona con 1.280.179 (un millón doscientos ochenta mil ciento setenta y nueve) habitantes, Valencia con 520.213 (quinientos veinte mil doscientos trece), 5 Sevilla con 312.125 (trescientos doce mil ciento veinte y cinco), Málaga con 276.222 (doscientos setenta y seis mil doscientos veinte y dos), Zaragoza con 264.256 (doscientos sesenta y cuatro mil doscientos cincuenta y seis) y Bilbao con 229.334 (doscientos veinte y nueve mil trescientos treinta y cuatro) 10 habitantes.

VOCABULARIO Y EXPRESIONES

alegre	happy, gay	el monte	mountain
alto	high	el norte	north
bello	beautiful	ocupar	to occupy
la ciudad	city	el oeste	west
correr	to run	el país	country
dividir	to divide	la Península Ibérica	
el este	east		Iberian Peninsula
la fama	reputation	pequeño	small
formar	to form	poder	to be able
grande	large, big	la región	region
la leyenda	legend	el río	river
el lugar	place	el sur	south
el mar	sea	tener	to have
limitar con	to be bounded by	por eso	for that reason

I. PREGUNTAS:

1. ¿Qué fama tiene España?
2. ¿Qué leyenda nos interesa?
3. ¿Dónde está situada la Península Ibérica?
4. ¿Qué países forman la Península Ibérica?

5. ¿Qué país es más grande, España o Portugal?
6. ¿Cuál tiene más extensión, España o el estado de Nueva York?
7. ¿Con qué limita España?
8. ¿Qué es la Meseta Central?
9. ¿Qué elevación alcanza esta meseta?
10. ¿Cuál es el país más alto de Europa después de Suiza?
11. ¿Tiene España muchas montañas? ¿Cómo se llaman?
12. ¿Todas las montañas cruzan a España de este a oeste?
13. ¿Cuáles son los ríos principales de España?
14. ¿Desembocan todos los ríos en el mismo mar? ¿En qué dirección corren?
15. ¿En cuántas provincias está dividida España?
16. ¿En cuántas regiones? ¿Cómo se llaman estas regiones?
17. ¿Cuál es la capital de España? ¿En dónde está situada?
18. ¿Qué otras ciudades grandes hay en España?

UN POQUITO DE TODO[1]

¿DE DÓNDE viene el nombre *Iberia* con que se conoce a la
Península Ibérica? Hay varias explicaciones. Una explicación muy corriente es que viene de la palabra *eber* o *iber*,
que en lengua ibérica significa "río." *Iberia* es el nombre dado
por los griegos a la región que habitaron[2] los iberos en el este 5
de la Península. Más tarde este nombre se aplicó[3] al territorio
que es ahora España y Portugal.

España es una nación habitada por más de 28 millones de
habitantes. Por razones históricas y geográficas los habitantes
de las distintas regiones son de carácter bastante diferente. 10
Hay, sin embargo, algunas características que los españoles
tienen en común: el individualismo, y una combinación de
idealismo y realismo. Es necesario recordar estas características
para poder apreciar la contribución del español a la historia,
las artes y las letras universales.   15

La Península Ibérica está en la zona templada, pero
como la estructura del suelo es muy variada, hay en España
toda clase de climas.[4] En el este de la Península generalmente
llueve[5] poco y el clima es seco; en la costa de esta zona el

---

[1] **Un poquito de todo**   A little bit of everything
[2] **habitaron**   was inhabited by   [3] **se aplicó**   was applied
[4] **toda clase de climas**   all kinds of climate   [5] **llueve**   it rains

7

invierno es templado y el verano muy caluroso; en el interior hay montañas altas y los inviernos son muy fríos. En el sur de España, las zonas de la costa y las regiones bajas son muy templadas en el invierno pero en el verano el clima es muy 5 caluroso en toda la región. En la Meseta Central el clima es extremado y según los madrileños[6] es de "nueve meses de invierno y tres de infierno." En la región del Cantábrico el clima es templado y húmedo.

Las personas que van a España ven, sin salir del país, 10 paisajes variados y de muchos contrastes. En la altiplanicie interior, la Meseta Central, el paisaje es árido, monótono, majestuoso.[7] En las regiones del norte la costa es alta y rocosa[8] con montañas altas y nevadas; otras montañas y valles son siempre verdes. En la región del este, en Cataluña, la costa 15 es montañosa y accidentada;[9] a veces rocosa y pintoresca. En Valencia y Murcia las partes montañosas contrastan con valles verdes y huertas de limoneros y naranjos.[10] En Andalucía la costa del Mediterráneo es también rocosa; hay altas sierras nevadas y tierras bajas con toda clase de vegetación. En las 20 regiones al oeste de la Meseta Central hay[11] montañas y grandes llanos, valles fértiles y cultivados y otros sin cultivar.

España es un país agrícola y casi un cincuenta por ciento[12] de la población trabaja la tierra. Una nación de estructura y clima tan variados tiene que ser más rica en unos productos 25 que en otros. España es el tercer país productor de cereales; ya los romanos llamaron[13] a España "el granero de Roma"[14] y la espiga de trigo se representaba[15] en las monedas de la

[6] madrileños   people from Madrid
[7] árido, monótono, majestuoso   barren, monotonous, majestic
[8] rocosa   rocky   [9] accidentada   irregular and rocky
[10] limoneros y naranjos   lemon and orange trees   [11] hay   there are
[12] un cincuenta por ciento   fifty per cent   [13] llamaron   called
[14] "el granero de Roma"   "the granary of Rome"
[15] la espiga de trigo se representaba   the stalk of wheat was represented

España romana. Ahora también produce trigo pero sin embargo tiene que importar cantidades de otros países. La riqueza principal es el aceite. Son también productos famosos las uvas de Málaga y el vino de Jerez.[16] Sólo los Estados Unidos producen más naranjas que España.

Abundan los minerales: las minas de mercurio de Almadén son de las más importantes y antiguas del mundo; las minas de cobre de Río Tinto son célebres desde el tiempo de los fenicios (siglo XII antes de Cristo); en el norte de la Península hay mucho hierro y carbón; el estaño es también muy abundante.

VOCABULARIO Y EXPRESIONES

el aceite	(olive) oil	ir	to go
bajo	low	la naranja	orange
el clima	climate	el paisaje	landscape
la costa	coast	poco	little
decir	to say	rico	rich
diferente	different	salir	to leave, to go out
el español	Spaniard	seco	dry
frío	cold	el suelo	land
el habitante	inhabitant	templado	mild
habitar	to inhabit	la uva	grape
húmedo	damp	el valle	valley
el ibero	Iberian	venir	to come
importante	important	el verano	summer
el invierno	winter		

sin embargo	nevertheless	es necesario	it is necessary
ir a	to go to	a veces	at times
		tener que	to have to
antes de	before		

[16] vino de Jerez   Sherry wine

I. PREGUNTAS:

1. ¿Con qué nombre se conoce a la Península Ibérica?
2. ¿De dónde viene el nombre de *Iberia*?
3. ¿Cuántos millones de habitantes tiene España?
4. ¿Son del mismo carácter los habitantes de las distintas regiones?
5. ¿Qué características tienen en común los españoles?
6. ¿Por qué es necesario recordar las características de los españoles?
7. ¿En qué zona está la Península Ibérica?
8. ¿Cómo es la estructura del suelo de la Península?
9. ¿Hay en España una clase de clima o más?
10. ¿Cómo es el clima del este de la Península?
11. ¿Cómo es el clima de la costa del sur de España?
12. ¿Qué dicen los madrileños del clima de Madrid?
13. ¿Es frío y seco el clima de la región del Cantábrico?
14. ¿Cómo es el paisaje que ven las personas que van a España?
15. ¿En qué trabajan casi un cincuenta por ciento de los españoles?
16. ¿Cómo llamaron los romanos a España?
17. ¿Por qué tiene que importar trigo España?
18. ¿Cuál es la riqueza principal del país?
19. ¿Qué país produce más naranjas que España?
20. ¿Qué minas son famosas desde el siglo XII antes de Cristo?

II. COMPLETE LAS SIGUIENTES FRASES SEGÚN EL TEXTO[1]:

1. En las regiones del norte la costa _____ alta y rocosa.
2. Otras montañas y valles _____ siempre verdes.
3. En Valencia y Murcia _____ valles verdes y huertas de _____ y _____.
4. Hay _____, algunas características que los españoles tienen en común.
5. En Cataluña la costa es _____, rocosa y pintoresca.

[1] Complete the following sentences according to the text

6. España es un país _____. Casi un cincuenta por ciento trabajan la tierra.
7. La espiga de trigo se representaba en las monedas de _____.
8. La riqueza principal de España es el _____.
9. Son también productos famosos _____ y _____.
10. Las minas de _____ de Almadén son de las más importantes y antiguas del _____.

III. COMPOSICIÓN ORAL:

Diga[1] qué región de España va usted a visitar primero y por qué.

[1] Tell, say

CAPÍTULO III   *Patria Grande*

RESUMEN DE HISTORIA

DE ESPAÑA (I)

PUEBLOS COLONIZADORES Y CONQUISTADORES

En el norte de la Península Ibérica hay pruebas de la existencia del hombre primitivo. Son las famosas pinturas sobre roca de la cueva de Altamira (en la provincia de Santander), en que hay figuras de toros y bisontes,[1] en rojo y negro. En otras regiones hay pinturas de figuras humanas.   5

Los iberos son considerados los pobladores más antiguos[2] de la Península Ibérica. Vivieron en España desde tiempos remotos. Dos manifestaciones magníficas del arte de este pueblo son la *Dama de Elche*, busto de mujer ibérica, (hoy en el Museo del Prado) y las murallas ciclópeas[3] de Tarragona. 1 0

[1] **toros y bisontes**   bulls and bisons
[2] **los pobladores más antiguos**   the oldest settlers
[3] **murallas ciclópeas**   cyclopean walls

13

Siglos antes de la invasión romana (siglo III antes de Cristo), diferentes pueblos llegaron a conquistar la Península. Entre los primeros (a fines del siglo VI antes de Cristo) estaban[4] los celtas, que entraron por los Pirineos y ocuparon
5 el norte y el oeste. En el centro, con los iberos, formaron el pueblo celtíbero. Los primeros en establecer relaciones comerciales con la Península, los fenicios, llegaron en el siglo XII antes de Cristo. Su colonia más antigua y más importante era[5] Cádiz. Explotaron las minas, desarrollaron el comercio y
10 enseñaron a los habitantes el alfabeto y el uso de la moneda. Hacia el siglo VIII antes de Cristo también los griegos fundaron colonias mercantiles en la costa del Mar Mediterráneo. Los griegos desarrollaron la agricultura, especialmente el cultivo de la vid y del olivo.[6]

15   Los cartagineses llegaron en el siglo VI antes de Cristo a ayudar a los fenicios que luchaban[7] contra los iberos. Los vencieron y poco a poco sometieron también a sus aliados[8] los fenicios. Los cartagineses fundaron dos puertos muy importantes en el Mediterráneo: Cartagena y Barcelona. Aníbal,
20 general cartaginés y gran enemigo de Roma, para entrar en guerra con los romanos destruyó[9] a Sagunto, ciudad aliada de Roma, y llegó por tierra hasta cerca de Roma. Mientras Aníbal estaba[10] en Italia los romanos empezaron (218 antes de Cristo) la conquista y colonización de la Península. Pocos
25 años después acaba la dominación cartaginesa en España.

Los romanos encontraron mucha resistencia y lucharon más de dos siglos para someter a las tribus celtíberas. Entre las ciudades que más resistieron (dieciséis meses) el poder y la fuerza de los romanos sobresale Numancia, cerca de Soria, en
30 Castilla la Vieja. Los habitantes decidieron morir antes que

---

[4] **estaban** were   [5] **era** was
[6] **de la vid y del olivo** of the grapevine and of the olive tree
[7] **luchaban** were fighting   [8] **aliados** allies   [9] **destruyó** destroyed
[10] **estaba** was

rendirse[11] y cuando los romanos entraron en la ciudad (133 antes de Cristo) no encontraron ni un habitante con vida.[12] Poco a poco los romanos organizaron a España como una provincia romana que llegó a ser[13] "más romana que Roma." A fines del siglo I los hispanorromanos, o españoles de entonces, 5 adoptaron la lengua, la religión, las leyes y las costumbres romanas. Durante los seis siglos de su dominación los romanos enriquecieron el país en otros aspectos. De las muchas obras públicas que edificaron quedan bellos ejemplos: el grandioso acueducto de Segovia, que después de veinte siglos todavía 10 trae agua de la sierra; el arco triunfal de Bará (cerca de Tarragona); puentes como los de[14] Córdoba y de Alcántara, y el teatro de Mérida. España recibió mucho de Roma pero como provincia rica y culta también contribuyó[15] a la gloria del Imperio con emperadores famosos y literatos de mérito. 15

Las invasiones continuaron y en el año 409 entraron en España por los Pirineos pueblos guerreros de origen germánico: los suevos, los vándalos y los alanos, conocidos con el nombre de "bárbaros," que ocuparon fácilmente toda la Península. Cinco años más tarde, en 414, los visigodos, pueblo 20 también "bárbaro" y aliado de los romanos, llegaron a España de Francia, vencieron a los otros pueblos "bárbaros" y por tres siglos dominaron la Península. Como eran menos cultos que los hispanorromanos, la manera de vivir de la Península varió poco; los conquistadores adoptaron el latín como lengua oficial 25 y aceptaron la religión católica.

En los últimos años del siglo VII el pueblo visigodo no era fuerte y guerrero como en 414. Las luchas interiores por el poder y la corrupción general en todo adelantaron la caída de la monarquía visigoda y prepararon la ocasión para la 30

[11] **antes que rendirse** rather than surrender
[12] **ni un habitante con vida** an inhabitant alive
[13] **llegó a ser** became   [14] **los de** those of
[15] **contribuyó** contributed

rápida conquista, a principios del siglo VIII, del último pueblo
invasor. Hay varias leyendas que relacionan la historia de una
traición con la llegada a España de los árabes, pueblo que
durante casi ocho siglos ocupó parte de la Península y al que,
5 a excepción del pueblo romano, más debe España por su influencia en la vida y en la cultura. Según una de las leyendas,
don Rodrigo, el último rey de los visigodos, un día vió
bañarse[16] a Florinda, bella doncella de la reina. La joven no
aceptó las proposiciones nada honestas[17] del rey y el padre de
10 la doncella, gobernador del norte de África, herido en su
honor, ayudó a los árabes a entrar en España. Hay todavía en
Toledo, antigua capital de los visigodos, un lugar a orillas del
río Tajo en donde se dice[18] que don Rodrigo vió a Florinda,
llamada también *la Cava*. El lugar conserva el nombre de
15 "Baño de la Cava."

El pueblo árabe, fuerte y fanático, conquistó el norte de
África, entró en España por el Estrecho de Gibraltar en 711
y en menos de siete años sometió casi toda la Península. Sólo
unas pequeñas zonas del norte resistieron a los invasores.

20   La época más gloriosa de la dominación musulmana[19] es
la del Califato de Córdoba (912-1031). Entonces Córdoba,
ciudad de palacios, bibliotecas,[20] escuelas y otros bellos monumentos, era el centro de la vida, de la cultura y el saber[21] de
España y de Europa. Pronto, sin embargo, y a causa de[22]
25 guerras civiles, el Califato de Córdoba se dividió[23] en pequeños
reinos independientes que poco a poco perdieron importancia
y territorio, hasta que por fin, en 1492, los Reyes Católicos[24]

---

[16] vió bañarse   saw bathing   [17] nada honestas   not very honorable
[18] en donde se dice   *where it is said*
[19] *musulmanes, árabes y otras razas del norte África. Todos profesaban*
la religión de Mahoma. Los árabes eran los más civilizados.
[20] bibliotecas   libraries   [21] el saber   knowledge
[22] a causa de   because of   [23] se dividió   split
[24] los Reyes Católicos = Ferdinand and Isabella. (*Title conferred in 1496*
by Pope Alexander VI in consideration of their services to Christendom)

entraron en Granada y dieron fin a[25] la dominación musulmana en España. Pero los siglos de contacto con las costumbres, la civilización y la cultura musulmanas dejaron una nota que diferencia a los españoles de los demás europeos. También dejaron los árabes en España algunos de sus monumentos más 5 bellos. Entre los más conocidos y que más admiran los españoles y los extranjeros están la Mezquita de Córdoba, la Giralda de Sevilla, torre de una de las antiguas mezquitas, y el Palacio de la Alhambra en Granada.

VOCABULARIO Y EXPRESIONES

el árabe	Arab	negro	black
la colonia	colony	la pintura	painting
conquistar	to conquer, acquire	el pueblo	people
la civilización	civilization	querer	to wish, want
la costumbre	custom	recibir	to receive
el cartaginés	Carthaginian	la religión	religion
el fenicio	Phoenician	rojo	red
la figura	figure	el romano	Roman
fuerte	strong	saber	to know
fundar	to establish, found	el siglo	century
el griego	Greek	todavía	still, yet
la historia	history	último	last
la joven	young woman	vencer	to conquer, defeat
la lengua	language	visigodo	Visigoth
a fines de	by the end of	poco a poco	gradually, little by little
entrar en	to enter	cerca de	near	depués (de) after
		por fin	finally

I. PREGUNTAS:

1. ¿En qué parte de España hay pruebas de la existencia del hombre primitivo?

[25] **dieron fin a** they put an end to

2. ¿Qué hay en las rocas de la cueva de Altamira?
3. ¿Desde cuándo vivieron en España los iberos?
4. ¿Cuáles son dos manifestaciones magníficas del arte de este pueblo?
5. ¿Dónde está la *Dama de Elche* ahora?
6. ¿Qué pueblos llegaron a España antes de los romanos?
7. ¿Cuál es y dónde está la colonia fenicia más antigua?
8. ¿Qué enseñaron los fenicios a los habitantes de la Península?
9. ¿Dónde fundaron sus colonias los griegos y qué desarrollaron?
10. ¿Cuándo y por qué llegaron los cartagineses a España?
11. ¿Hasta qué país llegó Aníbal en sus conquistas?
12. ¿En qué año entraron en España los romanos?
13. ¿Qué decidieron por fin hacer los habitantes de Numancia antes que rendirse a los romanos?
14. ¿Qué bellos monumentos romanos quedan todavía en España?
15. ¿A quiénes vencieron los visigodos?
16. ¿Cuál fué el último pueblo que invadió a España?
17. ¿Qué es el "Baño de la Cava"?
18. ¿Qué sabe usted de la ciudad de Córdoba durante los siglos diez y once?
19. ¿En qué año terminó la dominación musulmana en España?
20. ¿Qué monumentos árabes quiere Vd. ver? ¿Dónde están?

II. COMPLETE LAS SIGUIENTES FRASES SEGÚN EL TEXTO:

1. Los celtas entraron en España _____ siglo VI antes de Cristo.
2. Cádiz era la colonia más _____ y más _____ de los _____.
3. Los cartagineses vencieron a los _____ y también a sus aliados los _____.
4. Aníbal era un _____ y _____.
5. Los romanos lucharon _____ siglos para someter a las tribus celtíberas.

6. Numancia estaba _____ Soria.
7. Poco a poco España llegó a ser "_____ de Roma."
8. España era una provincia romana _____ y _____.
9. Los visigodos adoptaron _____ como lengua oficial.
10. Los árabes ocuparon parte de la Península durante casi _____ siglos.
11. Los pueblos a que España más debe por su influencia en la vida y en la cultura son _____ y _____.
12. Los siglos de contacto con los musulmanes dejaron una nota que _____ a los españoles de los demás _____.

III. COMPOSICIÓN ORAL:

Cuente[1] la leyenda de Florinda, "la Cava."

[1] Tell

RESUMEN DE HISTORIA
DE ESPAÑA (II)

LA ESPAÑA CRISTIANA DE 718 A 1492

Después de la derrota de don Rodrigo en la batalla de Guadalete (711), un grupo de hispano-visigodos se refugió[1] en una pequeña región del norte de la Península. Dirigidos por Pelayo, noble visigodo, vencieron a los musul-5manes en Covadonga (718), lugar de Asturias. La victoria es importante porque fué la primera de la Reconquista.[2]

Pelayo fué proclamado rey de Asturias, primero de los reinos cristianos que poco a poco aparecieron en la Península. Estos reinos[3] lucharon muchos años para adquirir más terri-10torio. En el siglo XI ya eran bastante fuertes para tomar la ofensiva contra los árabes.

Castilla fué primero un condado[4] dependiente del reino de León. Recibió este nombre de los muchos castillos que aparecieron en toda la región como defensa contra los árabes.

---

[1] se refugió   took refuge
[2] *La Reconquista es un período de casi ocho siglos de luchas y de paz entre cristianos y musulmanes por el dominio de la Península*
[3] *Otros reinos cristianos fueron* (were) *León, Castilla, Navarra, Aragón*
[4] condado   county, earldom

Los condes castellanos lucharon siempre por su independencia de León hasta que la lograron[5] en el siglo X bajo el conde Fernán González (932-970). Fernando I (1037-1065), primer rey de Castilla y León, antes de morir dividió su reino entre sus hijos. Fué entonces cuando Rodrigo Díaz de Vivar, [5] llamado el *Cid*, se dió a conocer.[6] Sancho II, hijo mayor de Fernando, trató de reunir todos los territorios bajo su poder, pero fué asesinado antes de lograrlo.[7] En estas luchas el Cid ayudó siempre a Sancho II. Poco después de heredar el trono Alfonso VI, hermano de Sancho II, desterró de Castilla al [10] Cid. Las hazañas del Cid en el destierro son el argumento del *Poema del Cid*, el monumento más antiguo de la literatura castellana. En 1085 Alfonso VI (1072-1109) logró la primera gran conquista cristiana con la toma de Toledo. También durante este reinado nació Portugal[8] como condado depen- [15] diente de Castilla y León. Años después el condado logró su independencia.

Los Reinos de Navarra y Aragón tienen su origen en el siglo VIII como núcleo de resistencia contra los árabes. Navarra dependió dos veces de Francia, pero en 1512 Fer- [20] nando el Católico la conquistó definitivamente.[9] En el siglo XII el reino de Aragón y el condado de Cataluña se unen[10] mediante el casamiento de una princesa aragonesa con un conde catalán. Unidos los dos reinos principió la expansión territorial aragonesa-catalana en el Mediterráneo que avanzó [25] hasta ganar Sicilia y el sur de Italia. Con la conquista de Valencia en 1238 y la conquista de Murcia en 1266 acabó el reino de Aragón su participación en la Reconquista.

El siglo XIII fué un siglo de grandes conquistas caste-

[5] **hasta que la lograron** until they attained it
[6] **se dió a conocer** became known
[7] **antes de lograrlo** before he succeeded
[8] *Alfonso VI le dió un pequeño territorio a su hija cuando se casó* (married) *con un noble francés que le ayudó en la conquista de Toledo*
[9] **definitivamente** once and for all   [10] **se unen** are united

llanas. Empezó con la victoria de las Navas de Tolosa (1212), primera vez que los reinos cristianos (Castilla, Aragón, Cataluña y Navarra) lucharon unidos contra los musulmanes. Fernando III *el Santo* (1217-1252) llegó con su ejército hasta 5 el sur de la Península; conquistó Córdoba (1236) y Sevilla (1248), que fué desde entonces su capital. Alfonso X *el Sabio* (1252-1282), su hijo, ganó Cádiz, Cartagena y otras ciudades. Con estas grandes conquistas castellanas y aragonesas, a fines del siglo XIII el territorio musulmán era sólo el pequeño 10 reino de Granada.[11]

Poco cambiaron las fronteras de los territorios cristiano y musulmán en los siglos XIV y XV. Para los cristianos fué un período de guerras interiores. Esta situación cambió en 1474 cuando Isabel de Castilla (casada desde 1469 con el príncipe 15 Fernando de Aragón) heredó el trono de Castilla. En 1479 Fernando sucedió a su padre en el trono de Aragón. Unidos los reinos de Aragón y Castilla acabaron la Reconquista. En abril de 1491 los Reyes Católicos ponen sitio a la ciudad de Granada que por fin cae y en enero de 1492 los Reyes entran 20 en ella. Dice la tradición que Boabdil, último rey de Granada, suspiró y lloró cuando la vió por última vez. Es fácil comprender su pena cuando se ve[12] la belleza de la ciudad. Con la toma de Granada terminan los ocho largos siglos de la Reconquista.

25   Poco después España asombró al mundo con otra hazaña. El 3 de agosto de 1492 salieron tres carabelas[13] del Puerto de Palos: la *Niña*, la *Pinta* y la *Santa María;* el 12 de octubre del mismo año Cristóbal Colón descubrió un nuevo mundo. España empezó el siglo XVI como nación unida y fuerte.

[11] *Este reino comprendía las provincias de Almería, Granada, y parte de la provincia de Málaga*   [12] **cuando se ve**   when one sees
[13] **carabelas**   caravels, type of sailing vessel

VOCABULARIO Y EXPRESIONES

antiguo	ancient, old	**lograr**	to attain
ayudar	to help	**llorar**	to cry
caer	to fall	**el mundo**	world
cambiar	to change	**nacer**	to be born
Castilla	Castile	**primero**	first
el castillo	castle	**el puerto**	port
el cristiano	Christian	**la Reconquista**	Reconquest
descubrir	to discover	**el reino**	kingdom
desterrar (ie)	to exile	**el rey**	king
dirigir	to direct	**siempre**	always
ganar	to win	**también**	also, too
la hazaña	deed	**ver**	to see
heredar	to inherit	**la vez**	time
largo	long	**la victoria**	victory
	hasta que until	**tratar de** to try to	
	poco después shortly after		

I. PREGUNTAS:

1. ¿A quién derrotaron los árabes en la batalla de Guadalete?
2. ¿Dónde se refugió un grupo de hispano-visigodos?
3. ¿Quién era Pelayo?
4. ¿Por qué es importante la victoria de Covadonga?
5. ¿Qué fué proclamado Pelayo?
6. ¿En qué siglo tomaron la ofensiva los reinos cristianos?
7. ¿Cómo nació Castilla?
8. ¿Cuándo logró Castilla su independencia?
9. ¿Quién era rey de Castilla y León cuando se dió a conocer el Cid?
10. ¿Qué trató de hacer Sancho II?
11. ¿Cuándo desterró Alfonso VI al Cid?
12. ¿Cuál es el monumento más antiguo de la literatura castellana? ¿Cuál es su argumento?

13. ¿Por qué es importante la toma de Toledo por Alfonso VI?
14. ¿Cuál es el origen de los reinos de Navarra y Aragón?
15. ¿Cómo y cuándo se unieron el reino de Aragón y el condado de Cataluña?
16. ¿Qué principió con esta unión?
17. ¿Qué acaba con la conquista de Valencia y Murcia?
18. ¿Hasta dónde llegó Fernando III *el Santo* con sus conquistas?
19. ¿Quiénes y en qué año acabaron la Reconquista?
20. ¿Cuándo lloró y suspiró Boabdil?

II. DE LAS PALABRAS ENTRE PARÉNTESIS ESCOJA[1] LAS QUE COMPLETAN LA FRASE:

1. La *Niña*, la *Pinta* y la *Santa María* salieron del puerto de Palos _____ (el 3 de agosto, el 14 de abril, el 12 de octubre).
2. Con la toma de Granada terminó _____ (la dominación romana, la Reconquista, la invasión árabe).
3. Don Rodrigo era rey de los _____ (castellanos, catalanes, visigodos).
4. Los hispano-visigodos vencieron a los árabes en Covadonga en _____ (1085, 1212, 718).
5. La capital de Castilla en tiempo de Fernando III *el Santo* fué _____ (Sevilla, Córdoba, Granada).
6. El reino de Portugal nació _____ (como condado dependiente de Castilla, de las luchas entre aragoneses y castellanos, como núcleo de resistencia contra los árabes).
7. En 1085 Alfonso VI logró _____ (la independencia de Navarra, la conquista de Toledo, la victoria de las Navas de Tolosa).
8. En 1512 Fernando el Católico _____ (conquistó Navarra, Valencia, Sicilia).
9. El Cid era el nombre de _____ (Alfonso X, Rodrigo Díaz de Vivar, Fernán González).

[1] choose

10. En la batalla de las Navas de Tolosa Castilla, Aragón, Navarra y Cataluña lucharon unidos por primera vez contra _____ (Sancho II, Boabdil, los musulmanes).

III. COMPOSICIÓN ORAL:

1. Relacione[1] Fernando I, Sancho II, Alfonso VI, el Cid.
2. Diga unas palabras sobre la conquista de Granada.

[1] cc in ct

RESUMEN DE HISTORIA
DE ESPAÑA (III)

ESPAÑA DESDE 1517

E N EL siglo XVI España era una nación fuerte, poderosa y de territorios extensos. Carlos I (1517-1556), nieto de los Reyes Católicos, subió al trono[1] en 1517. En 1519 fué elegido también emperador de Alemania con el nombre de
5 Carlos V. Era un rey fuerte y activo. Su reinado fué un período de luchas: contra Francia por la supremacía[2] de Europa; contra los príncipes protestantes alemanes[3] para impedir la propagación[4] de la Reforma; en África y este de Europa contra turcos y musulmanes. Son años también de
10 descubrimientos: del Océano Pacífico (1513) por Vasco Núñez de Balboa; del Estrecho de Magallanes (1520) por Fernando de Magallanes, portugués al servicio de España. Juan Sebastián de Elcano, compañero de Magallanes, dió la primera vuelta al mundo[5] (1519-1522). Entre los grandes conquista-
15 dores de este período sobresalen[6] Hernán Cortés, conquistador

[1] subió al trono came to the throne [2] la supremacía supremacy
[3] los príncipes protestantes alemanes the German Protestant princes
[4] propagación spreading
[5] dió la primera vuelta al mundo was the first to circumnavigate the globe
[6] sobresalen are outstanding

de Méjico (1519-1521) y Francisco Pizarro, conquistador del
Perú (1522-1533). Depués de años de luchas y de responsa-
bilidades el gran emperador abdicó el trono de Alemania en
su hermano Fernando. A su hijo Felipe II le dejó España y el
resto del Imperio.   5

Felipe II (1556-1598) era un monarca profundamente
católico; le llamaban la "columna del catolicismo."[7] Su imperio, al que después unió Portugal y sus colonias, era tan
inmenso que en sus dominios "no se ponía el sol."[8] Preparado
por su padre para reinar, continuó su misma política. Derrotó[9] 10
a los franceses en la batalla de San Quintín (1557), no lejos
de París. Para conmemorar esta gran victoria edificó El
Escorial, palacio, monasterio y panteón de reyes, símbolo de
la grandeza y de la fe religiosa de los españoles. España y sus
aliados[10] derrotaron a los turcos en la batalla de Lepanto 15
(1571). En esta batalla estuvo el soldado Miguel de Cervantes
que perdió el uso de la mano izquierda, "para mayor gloria de
la derecha."[11] Felipe II mandó contra Inglaterra la Armada
Invencible por la ayuda que esta nación prestaba a los enemigos
políticos y religiosos de España. La expedición (1588) resultó 20
desgraciada[12] y la Armada fué casi destruida por una tempestad y por los ingleses.

La derrota de la Armada privó[13] a España de su supremacía en el mar; las muchas empresas políticas y las
guerras en defensa del catolicismo durante el siglo XVI 25
agotaron la economía del país; el poco sentido práctico de los
españoles y el carácter débil de los reyes del siglo XVII trans-
formaron a España en uno de los países más pobres de Europa,

---

[7] **"columna del catolicismo"**   "pillar of Catholicism"
[8] **"no se ponía el sol"**   "the sun never set"   [9] **Derrotó**   He defeated
[10] *Aliados de España en aquella batalla fueron la República de Venecia y*
     el Papa Pío V
[11] **"para mayor gloria de la derecha"**   "for the greater glory of the right"
[12] **desgraciada**   unfortunate   [13] **privó**   deprived

económica y políticamente. Hay que notar, sin embargo, que
en estos años la cultura española llegó a su apogeo.[14] Es la
época de Miguel de Cervantes (1547-1616), autor de *Don
Quijote de la Mancha;* de los dramaturgos Lope de Vega
5 (1562-1635) y Calderón de la Barca (1600-1681); de los
pintores *El Greco* (1537-1614) y Velázquez (1599-1660)·
del músico Tomás Luis de Victoria (1548-1611).

Como Carlos II (1665-1700), último rey de la Casa de
Austria, murió[15] sin dejar hijos, le sucedió Felipe V (1700-
10 1746), primer rey de la Casa de Borbón. Este rey empezó una
serie de reformas que fueron continuadas por algunos de sus
sucesores y que mejoraron la política, la economía y la cultura
del país. Fué durante el reinado de Carlos IV (1788-1808)
cuando Napoleón Bonaparte, con su ambición de dominar el
15 mundo, invadió la Península. El pueblo español, abandonado
de sus reyes,[16] hace algo casi imposible: le declara la guerra a
Napoleón. Estos años de lucha (1808-1814) reciben el nombre
de *Guerra de la Independencia.* Nadie como el pintor Francisco Goya (1746-1828) perpetuó[17] en sus cuadros lo que él
20 vió: el heroísmo que demostró el pueblo madrileño y el horror
de la lucha contra los invasores.

El resto del siglo XIX y el siglo XX son años de inquietud y de inseguridad política y económica. Es un largo
período de luchas y de levantamientos[18] en que el pueblo
25 español, unas veces dirigido por gobernantes poco competentes,
otras por gobernantes débiles, o sujeto a regímenes[19] que le
imponen, lucha, vive y espera que lleguen los años de[20] paz y
prosperidad a que aspira el mundo en general.

[14] **llegó a su apogeo** reached its height   [15] **murió** died
[16] **abandonado de sus reyes** abandoned by their sovereigns
[17] **perpetuó** immortalized   [18] **levantamientos** uprisings
[19] **regímenes** regimes
[20] **y espera que lleguen los años de** and hopes time will bring

VOCABULARIO Y EXPRESIONES

el autor	author	izquierdo	left
católico	Catholic	mandar	to send
el conquistador	conqueror	el músico	musician
la cultura	culture	nadie	no one
débil	weak	el pintor	painter
dejar	to leave	pobre	poor
derecho	right	poderoso	powerful
edificar	to build	el portugués	Portuguese
empezar (ie)	to begin	portugués	Portuguese
el francés	Frenchman	el protestante	Protestant
francés	French	el sol	sun
el inglés	Englishman	suceder	to succeed
inglés	English	unir	to add, unite

lejos de   far from   hay que   it is necessary

I. CONTESTE EN ESPAÑOL:

1. ¿Qué clase de nación era España en el siglo XVI?
2. ¿En qué año subió al trono de España Carlos I?
3. ¿Cuándo fué elegido emperador de Alemania?
4. ¿Contra quiénes luchó Carlos V?
5. ¿Quién fué Juan Sebastián de Elcano?
6. ¿Quiénes sucedieron a Carlos V?
7. ¿Por qué no "se ponía el sol" en el imperio español del tiempo de Felipe II?
8. ¿Dónde se dió la batalla de San Quintín?
9. ¿Qué es El Escorial?
10. ¿Qué famoso novelista estuvo en la batalla de Lepanto?
11. ¿Por qué mandó Felipe II la Armada contra Inglaterra?
12. ¿Qué transformó a España en un país económica y políticamente pobre?
13. ¿Cuáles son los años de apogeo de la cultura española?

14. ¿Por qué sucedió Felipe V de Borbón a Carlos II de Austria?
15. ¿Quién fué Tomás Luis de Victoria?
16. ¿Cuáles fueron los resultados de las reformas que empezó Felipe V?
17. ¿Por qué invadió Napoleón Bonaparte la Península?
18. ¿Qué hizo el pueblo español, abandonado de sus reyes?
19. ¿Qué fué la *Guerra de la Independencia?*
20. ¿Qué perpetuó el pintor Goya?

II. COMPLETE LAS SIGUIENTES FRASES SEGÚN EL TEXTO:

1. En la batalla de Lepanto Cervantes perdió _____ "para _____."
2. Carlos V fué un rey _____ y _____.
3. Un dramaturgo importante de los siglos XVI y XVII fué _____.
4. Felipe II unió _____ a su imperio.
5. Sin embargo, los años económica y políticamente pobres fueron los años de _____.
6. El último rey de la Casa de Austria fué _____.
7. Dos conquistadores durante el reinado de Carlos V son _____ y _____.
8. Algunos sucesores de Felipe V mejoraron _____ y _____.
9. Con la derrota de la Armada España perdió _____.
10. A Felipe II le llamaban "_____."
11. El pueblo español espera _____.
12. Felipe II edificó El Escorial para _____.

III. COMPOSICIÓN ORAL:

1. Hable[1] de los acontecimientos importantes de los siglos XVI y XIX.
2. Describa[2] a Felipe II.

[1] Speak   [2] Describe

LENGUAS Y DIALECTOS

Llegamos a la playa al amanecer (*español*)
Varem arribar a la platja al clarejar (*catalán*)
Chegamos a praya por ha mañan cedo (*gallego*)
Goiz-aldean ondartzara etorri giñan (*vascuence*)

Poder expresar dentro de España la misma idea en varias lenguas quiere decir que la misma variedad que ha caracterizado siempre el suelo, el clima, el paisaje, los productos españoles, etc., existe también cuando se trata de estudiar la lengua que hablan los españoles. La lengua oficial de España 5 es el español, hablada por la gran mayoría de los españoles,[1] pero además del español también se hablan[2] en España el catalán, el gallego y el vascuence.

Decir que el español, hablado en el siglo XX por ciento quince millones de personas o más, es una especie de latín 10 moderno, es decir la verdad. Es un latín que en los siglos que han pasado desde que los romanos fueron a la Península ha sufrido muchos cambios, ha aceptado palabras de pueblos anteriores al romano, y de otros posteriores que, como el árabe, han contribuido a la formación del español actual.[3] El latín 15

[1] **la gran mayoría de los españoles** most Spaniards
[2] **se hablan** they speak [3] **actual** present-day

31

que llevaron los conquistadores y colonos romanos que fueron
a la Península fué el hablado por ellos, el latín del pueblo o
latín vulgar, no el latín culto o lengua en que escribieron los
autores clásicos.[4]

5   Poco a poco el latín que hablaban en las varias provincias
del imperio romano empezó a diferenciarse.[5] Por ejemplo: el
latín de las Galias se diferenció del latín de la Bética, y para el
siglo VIII eran tan diferentes estas dos maneras de hablar que
los habitantes de una antigua provincia romana no entendían
10 a los habitantes de las otras provincias. De esta manera nacieron
el español, el francés, el italiano, el portugués, el rumano, el
catalán y el provenzal, es decir, las principales *lenguas romances*, nombre que reciben las lenguas que derivan del latín.

Al latín que hablaban en la Península le pasó lo mismo:
15 por razones históricas y geográficas el latín de las diferentes
regiones se fué cambiando y diferenciando.[6] Por eso, aunque a
la llegada de los árabes se hablaba en el país sólo una lengua
romance (con pocas variaciones), en el siglo XI existían ya
tres lenguas distintas derivadas del latín: el castellano, el
20 catalán y el gallego-portugués o gallego. La cuarta lengua,
el vascuence, no es romance.

De los tres idiomas romances, el castellano (que al principio[7] se hablaba sólo en el Condado de Castilla) con la Reconquista se extendió por la Península,[8] cruzó mares y con-
25 tinentes con los descubridores, conquistadores y colonizadores
que fueron al Nuevo Mundo y a otras partes, y se extendió
tanto que el español es ahora de todas las lenguas romances
la que hablan mayor número de personas.[9] De ella dijo Carlos

[4] *Después del latín el idioma al que más palabras debe el español es el árabe*
[5] **empezó a diferenciarse**   began to be different
[6] **se fué cambiando y diferenciando**   kept on changing and becoming
   different   [7] **al principio**   at first
[8] **se extendió por la Península**   spread out over the Peninsula
[9] *Se habla español ahora en la América del Sur (excepto el Brasil y las
tres Guayanas), la América Central, Méjico, parte del sudoeste de los*

V que era "la lengua para hablar con Dios." Y es verdad que en español[10] se han expresado sentimientos y pensamientos de los más bellos y delicados.

El catalán y sus dialectos[11] lo hablan en las regiones catalana y valenciana y en las Islas Baleares[12] unos cinco 5 millones de personas, en su mayoría bilingües.[13]

El gallego es el idioma del antiguo reino de Galicia, y la lengua en que floreció la primitiva poesía lírica de la Península. Los gallegos son también, en su mayoría, bilingües.

Se sabe muy poco acerca del origen de la lengua más 10 antigua que se habla en la Península: el vascuence. Aparece como un idioma que no deriva del latín, y sin relación con las otras lenguas de Europa. Han dicho que el vascuence era de origen africano; también lo han relacionado con los idiomas del Cáucaso; sin embargo el misterio persiste.[14] Es tan difícil 15 de aprender que, según dicen, el Diablo siete veces trató de aprenderlo ¡y no lo logró!

VOCABULARIO Y EXPRESIONES

aceptar	to accept	existir	to exist, be
el cambio	change	la formación	development
el castellano	Castilian language	el gallego	Galician language
el catalán	Catalan language	el italiano	Italian language
contribuir	to contribute	llevar	to bring
deber	to owe, be indebted	la manera	way, manner
derivar	to derive	mismo	same

Estados Unidos, Cuba, Santo Domingo, Puerto Rico y parte de las Islas Filipinas

[10] *Español es el nombre con que generalmente se conoce el castellano*

[11] *El valenciano y el mallorquín son dialectos del catalán*

[12] *También hablan catalán en la República de Andorra, en el departamento francés de los Pirineos Orientales, y en la ciudad de Alguer y su comarca de la isla italiana de Cerdeña* [13] *bilingüe* bilingual

[14] *Hablan vascuence partes de las Provincias Vascongadas y Navarra, en España; en Francia, parte del departamento de los Bajos Pirineos*

moderno	modern	el **vascuence**	Basque language
la playa	sea shore	**vario**	different, various
principal	main, principal	la **verdad**	truth
sufrir	to suffer		

querer decir	to mean	**además de** besides
desde que	since (time)	**empezar a** to begin to
de esta manera	in this way	

I. CONTESTE EN ESPAÑOL:

1. ¿En qué lenguas está escrita la misma frase al principio del capítulo?
2. ¿Cuál es la lengua oficial de España?
3. ¿Cuántos millones de personas, más o menos, hablan español?
4. ¿En qué otros países se habla español además de España?
5. ¿De qué lengua se deriva el español?
6. ¿Qué dos lenguas han contribuido más a la formación del español?
7. ¿Dónde se habló primero el castellano?
8. ¿Desde cuándo se habla español en las Américas?
9. ¿Cuál es la lengua romance que más se habla?
10. ¿Qué decía Carlos V del castellano?
11. ¿Cuántas lenguas derivadas del latín existían ya en España en el siglo XI?
12. ¿Qué lengua hablan en Portugal? ¿en Francia? ¿en Italia?
13. ¿Hablan todos los españoles sólo una lengua?
14. ¿Cuál es la lengua más antigua que se habla en España?
15. ¿Es el vascuence una lengua romance?
16. ¿Cómo se sabe que el vascuence es una lengua difícil de aprender?
17. ¿Qué quiere decir *lengua romance?*
18. ¿Cuáles son las principales lenguas romances?
19. ¿Qué otra lengua se habla en Cataluña además del español? ¿Y en Valencia?

II. DE LAS PALABRAS ENTRE PARÉNTESIS ESCOJA LAS QUE COMPLETAN LA FRASE:

1. El español hablado en España en el siglo XX es _____ (una especie de latín moderno, la lengua que hablaban los fenicios, una variación del griego).

2. Del vascuence se sabe _____ (que deriva del latín, que no es una lengua fácil de aprender, que está relacionado con las lenguas habladas en Europa).

3. El latín que llevaron los colonos y conquistadores que fueron a la Península era _____ (el latín culto, el latín que hablaba el pueblo, la lengua de los conquistadores del siglo XVI).

4. Cuando los árabes llegaron a España se hablaban _____ (ya varias lenguas romances, sólo una lengua romance, el árabe).

5. El español es _____ (la lengua romance que hablan más personas, lengua que se habla sólo en España, la lengua más antigua de la Península Ibérica).

6. Se llama castellano _____ (porque fué primero la lengua de Castilla, porque Carlos V dijo que "era la lengua para hablar con Dios," porque es una lengua del Cáucaso).

7. Con la Reconquista el idioma español _____ (pasó a América, se extendió por la Península, empezaron a hablarlo en Italia).

8. En gallego se escribió _____ (*El Poema del Cid,* la primitiva poesía lírica de la Península, las cartas de Hernán Cortés).

III. COMPOSICIÓN ORAL:

1. Explique[1] el origen y formación del español.

[1] Explain

PATRIA CHICA

Así como los miembros de una familia son diferentes unos de otros, en España, por condiciones y razones geográficas e históricas, quedan en las varias regiones españolas características y costumbres particulares que dan a los habitantes y a la región, la *patria chica*, individualidad y personalidad propias.

ASTURIAS

"ASTURIAS NUNCA VENCIDA"[1]

LA REGIÓN de Asturias, que consiste en una sola provincia, Oviedo, está situada junto al inquieto Mar Cantábrico. Ríos y montañas la cortan en todas las direcciones, sus valles son estrechos y profundos, y los Picos de Europa, que separan esta región de la región de León, son tan imponentes como los 5 Alpes de Suiza. En los valles y aún en las faldas de las montañas hay muchos pueblos bonitos y sus habitantes celebran la hermosura del pueblo con canciones como ésta, por ejemplo:

> Soy de Pravia, soy de Pravia, (*bis*)
> Y mi madre una praviana, (*bis*)
> Y por eso en mí no cabe (*bis*)
> Partida ninguna mala. (*bis*)[2]

[1] **"Asturias nunca vencida"** Undefeated Asturias
[2] *A free translation of this song shows a young girl's pride in her native town:*

> I am from Pravia, I am from Pravia,
> And my mother is from Pravia, too.
> Therefore, I just can't help
> Behaving like a lady.

La Praviana

Soy de Pra-via, soy de Pra — via,
soy de Pra-via, soy de Pra — via,
y mi ma·dre u-na pra-via — na,
y mi ma·dre u·na pra-via — na.

Los asturianos son sobrios, reflexivos, orgullosos;[3] tienen
sentido de humor y un gran sentido poético. Muchos asturianos tienen ojos color avellana claro[4] y pelo rubio o rojo, son
hombres fuertes y trabajadores y vivan en la ciudad[5] o en el
5 campo, son gente del campo, porque les gusta esa vida. Tienen
gran amor a la tierra.

Sus casitas blancas con ventanas y galerías pintadas de
azul contrastan con las verdes montañas. Cada casita tiene su
huerta en donde cultivan verduras[6] y maíz y donde crecen
10 manzanos y árboles de otras frutas. Como llueve mucho, las
cosechas son muy abundantes.

En el otoño los hombres se reúnen para recoger las man-
zanas y hacer la famosa sidra de Asturias, pero cuando hay que
recoger el maíz a los hombres y a las mujeres les gusta
15 trabajar juntos: las mujeres abren las mazorcas[7] y los hombres

---

[3] **sobrios, reflexivos, orgullosos**   frugal, thoughtful, proud
[4] **color avellana claro**   light hazel colored
[5] **vivan en la ciudad**   whether they live in the city
[6] **verduras**   green vegetables   [7] **mazorcas**   ears of corn

las atan para colgarlas para secar. Cantan, ríen[8] y pasan las horas de trabajo muy alegremente. ¡Qué interesante sería poder asistir a una de estas reuniones algún día y escuchar las canciones!

Las diversiones más importantes del año son las romerías[9] que todo el mundo hace a iglesias vecinas. Las romerías se celebran en honor del santo venerado en el lugar. Después de la misa, la gente acude al mercado donde se compran y se venden toda clase de cosas. Más tarde se reunirán a comer típicas empanadas,[10] queso, fruta, y a beber sidra. Después algunos cantarán mientras los demás bailarán. Por regla general, los bailes serán bailes en corro.[11] Algunas veces usarán instrumentos musicales, como la gaita y el tambor.[12]

No todos los asturianos se dedican a la agricultura, porque en las montañas hay muchas minas de cobre, de plomo, de hierro y sobre todo de carbón, minerales que son la mayor riqueza de la provincia. El puerto más importante para la exportación de estos minerales es Gijón, la ciudad más grande de la región.

Oviedo, capital de Asturias, es una ciudad industrial que tiene una universidad muy conocida. Aquí pasó la mayor parte de su vida uno de los famosos hombres de letras asturianos, Leopoldo Alas, conocido por el seudónimo[13] de "Clarín" (1852-1901). "Clarín," en sus cuentos, describe costumbres de la España de su época. Por ejemplo, en "El entierro de la sardina"[14] pinta una ceremonia tradicional que se celebraba en muchos pueblos españoles a la medianoche del Miércoles de

[8] **ríen**   they laugh
[9] **romerías**   *pilgrimages so-called because of the pilgrimages made to Rome*
[10] **típicas empanadas**   meat pies, *typical of the region*
[11] **bailes en coro**   circle dances
[12] **la gaita y el tambor**   the bagpipe and the drum
[13] **seudónimo**   "pen name"
[14] **"El entierro de la sardina"**   the Burial of the Sardine

Ceniza. Según "Clarín," la gente del pueblo se cubría con una
sábana,[15] como los chicos de los Estados Unidos en *Halloween*,
y en la calle bailaba, cantaba y bebía. La ceremonia del entierro
de la sardina consistía en un discurso fúnebre burlesco sobre
5 una sardina de metal encerrada en una caja negra. Si el discurso
gustaba, el orador podía quedarse con la sardina y regalarla a
una de las señoritas que asistían a la fiesta. Al ofrecerle la
sardina el orador volvía a pronunciar un discurso, esta vez
sobre el amor. Todo el mundo se divertía con estos dos cómicos
10 discursos.

Asturias ha sido la cuna de otros autores importantes. Las
novelas de Armando Palacio Valdés (1853-1938) son más
bien ligeras y optimistas. Pérez de Ayala (1880-   ), considerado por muchos críticos la voz más representativa de su
15 patria chica, es novelista, poeta y ensayista.[16] La poesía popular
de esta región es, con la poesía popular de Galicia, tal vez de
las mejores de la Península.

Los asturianos tienen muchas razones para creer que el
pasado de su región es glorioso. Las tradiciones y la historia
20 de su patria chica les hace sentirse[17] orgullosos. A causa de los
valles estrechos y profundos y de las altas montañas, Asturias
es una región fácil de defender y difícil de conquistar. Por eso,
los cristianos perseguidos por los árabes se refugiaron en
Asturias. Con su jefe, Pelayo, en el año 718 se reunieron
25 cerca de una cueva en las montañas, la Cueva de Covadonga.[18]
Los árabes penetraron en el valle pero los cristianos les
lanzaron tantas flechas, troncos de árboles y piedras que los
árabes, al encontrar tanta resistencia, abandonaron su plan de

---

[15] **sábana** sheet   [16] **ensayista** essayist   [17] **sentirse** feel
[18] *Desde el siglo XVI, en conmemoración de la batalla de Covadonga, el
hijo mayor de los reyes de España recibió el título de "Príncipe de
Asturias," como el hijo mayor de los reyes ingleses recibe el título de
"Prince of Wales"*

conquistar a Asturias Por eso, se llama a Asturias "cuna de la Reconquista." Siglos después Asturias hizo otro papel[19] muy importante. En 1814 el ejército español arrojó de Asturias al ejército francés. En conmemoración de esa victoria se creó la *Cruz de Asturias,* cuya inscripción, "Asturias nunca vencida," 5 aparece como título de este capítulo.

VOCABULARIO Y EXPRESIONES

el árbol	tree	el maíz	corn
el campo	country	la manzana	apple
la canción	song	la mina	mine
cantar	to sing	el ojo	eye
la cueva	cave	el otoño	autumn
cultivar	to cultivate	el pelo	hair
difícil	difficult	profundo	deep
estrecho	narrow	recoger	to pick
fácil	easy	rubio	blond
la fruta	fruit	la sardina	sardine
la gente	people	trabajar	to work
la huerta	vegetable garden	el trabajo	work
la iglesia	church	verde	green

consistir en   consist of   gustar(le a uno)   like

asistir a   attend   todo el mundo   everybody

al (+ *inf.*)   on (+ *pres. part.*)

volver a (cantar)   to (sing) again   a causa de   because of

I. PREGUNTAS:

1. ¿Cuántas provincias tiene Asturias?
2 ¿Dónde está situada esta región?
3. ¿Cómo celebran los habitantes la hermosura de su pueblo?

---

[19] **hizo otro papel**   played another part (role)

4. ¿Cómo son los asturianos?
5. ¿Por qué son hombres del campo?
6. ¿Qué recogen los hombres cuando se reúnen en el otoño?
7. ¿Les gusta a los hombres trabajar solos cuando hay que recoger el maíz?
8. ¿Le gusta a Vd. la idea de asistir a una de estas reuniones?
9. ¿Cuáles son las diversiones más importantes del año?
10. ¿A dónde va la gente antes de comer?
11. ¿Cultiva los campos todo el mundo en Asturias?
12. ¿Cuál es la mayor riqueza de esta provincia?
13. ¿Cuál es la capital de Asturias?
14. ¿Qué vuelve a pronunciar el orador al ofrecerle a una señorita la sardina de metal?
15. ¿Quiénes son "Clarín," Palacio Valdés y Pérez de Ayala?
16. ¿Cómo es la poesía popular asturiana?
17. ¿Por qué se llama a Asturias "cuna de la Reconquista?"
18. ¿Por qué se creó la *Cruz de Asturias?*
19. ¿Qué dice la inscripción en la cruz?
20. ¿Creen los asturianos que su pasado es glorioso?

II. DE LA COLUMNA *B* ESCOJA UNA PALABRA QUE SE RELACIONE CON OTRA DE *A*[1]:

A	B
fácil	Miércoles de Ceniza
valles	Covadonga
manzanas	sidra
árbol	fruta
pelo	rubio
Pelayo	puerto
sardina	instrumento musical
difícil	estrechos y profundos
gaita	conquistar
Gijón	defender

[1] Select the word in column B which is related to one in column A.

III. DIGA UNAS PALABRAS SOBRE:

1. La casa y la huerta asturianas.
2. "El entierro de la sardina."
3. La Cueva de Covadonga.

LEÓN

"POR CASTILLA Y POR LEÓN
NUEVO MUNDO HALLÓ COLÓN"

Es CURIOSO que la región que lleva el nombre del rey de los animales, el león, símbolo de la fuerza y del valor, haya sido[1] el nombre de uno de los antiguos reinos más importantes en la formación de la nación española y en el descubrimiento del Nuevo Mundo. Todo el mundo sabe que Isabel la Católica, [5] reina de Castilla y León, le dió a Cristóbal Colón la ayuda necesaria para su famoso viaje. Sin embargo, el nombre de León no viene del nombre del animal, viene del latín "legio, legionis."[2]

La región de León (que consiste en las provincias de [10] León, Palencia, Salamanca, Valladolid y Zamora) se encuentra al sur de Asturias. Los mismos Montes Cantábricos, altos y ásperos,[3] la cruzan en el norte; casi todo el resto de la región es una meseta más bien árida. Caracteriza a León la gran variedad de paisaje: montañas, valles fértiles y meseta. [15]

[1] haya sido was
[2] "legionis" *quiere decir "de la legión." Probablemente como allí vivió una legión romana, León es el lugar "de la legión"*
[3] áspero rugged

47

Como los asturianos, la mayor parte de los leoneses se
dedican a cultivar la tierra y a la vida de pastor. En el norte,
sobre todo, las mujeres hacen gran parte del trabajo de los
campos. Una aleluya[4] dice: "Hace la mujer en León del
5 hombre la obligación." Son las mujeres las que siegan los
campos. La siguiente canción nos da una idea muy clara del
ritmo del segar y de su monotonía:

> Segaba . . .
> Segaba la niña
> y ataba
> y a cada manadita
> descansaba . . .[4]

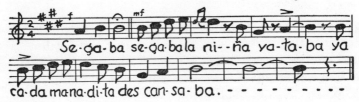

Canción de siega

En León hay varias ciudades importantes. La capital,
León, tiene una de las tres grandes, magníficas catedrales
10 góticas de España. Lo que distingue a esta catedral son los
grandes ventanales de vidrio[5] de vivos colores, considerados
entre los más hermosos del mundo.

La ciudad de Salamanca es famosa por sus edificios de
gran interés histórico y artístico. Muchas de las fachadas[6] de

---

[4] She was reaping . . .
   The girl was reaping . . .
     and tying
   And after each bundle
     she rested . . .
[5] **ventanales de vidrio**   stained glass windows
[6] **fachada**   façade, front

estos edificios son como encaje[8] de piedra, de rica y delicada
ornamentación. Este estilo arquitectónico llamado plateresco,
tal vez por parecerse al trabajo que los joyeros[9] hacían con la
plata y el oro, es muy típico de Salamanca, en donde se encuentran algunos de los mejores monumentos de este estilo. La[5]
piedra de que están construidos muchos de los edificios es de
un color amarillo que brilla como el oro en los días de sol.
Esto da una nota característica a la ciudad. Había familias
nobles que tenían palacios en Salamanca mientras sus hijos
estudiaban en la universidad y por eso hay tantas casas con[10]
escudos. Una de estas casas es la Casa de las Conchas (siglo
XVI) llamada así porque en las paredes exteriores de la casa
hay grandes conchas de piedra. Sin duda el dueño era de la
Orden de Santiago.[10]

Lo que primero dió fama a Salamanca fué su universidad[15]
que durante siglos fué centro de las culturas española y
europea. Esta universidad, fundada en 1253 por Alfonso XI
de León, era tan grande y tenía tanta fama en los siglos XV
y XVI que se llamó a Salamanca "Roma chica" y "Atenas."
Entre sus famosos estudiantes está Fray Luis de León (1527?-[20]
1591), místico y poeta lírico del Siglo de Oro, y más tarde
también profesor de esta universidad. Por haberse dudado de
su ortodoxia religiosa estuvo en la cárcel casi cinco años. Al
salir volvió a dar clases, mostrando así que había olvidado los
años de injusticia y que no guardaba rencor por ello. Los[25]
estudiantes esperaban con gran interés ver cómo empezaría su
primera clase. Se dice que Fray Luis comenzó su primera conferencia con estas palabras: "Como decíamos ayer. . ."[11] "La
vida retirada" es una de sus odas más conocidas. Muchos

---

[8] **encaje** lace   [9] **joyeros** workers in precious metals, jewelers
[10] Order of Santiago. *Orden religiosa y militar establecida en el siglo XII
para proteger a los peregrinos que iban a Santiago de Compostela.*
[11] **"Como decíamos ayer . . ."** "As I was saying yesterday . . ."
("Dicebamus hesterna die . . .")

españoles saben de memoria por lo menos su primera estrofa:

> ¡Qué descansada vida
> La del que huye del mundanal ruido
> Y sigue la escondida
> Senda por donde han ido
> Los pocos sabios que en el mundo han sido![12]

Miguel de Unamuno (1864-1936) fué la gran figura contemporánea en la vida de esta universidad. Este célebre vasco fué profesor de lengua y literatura griegas y más tarde
5 su rector.[13] Amaba mucho la ciudad de Salamanca, y sus descripciones de ella muestran su comprensión del carácter de su ciudad favorita. Unamuno era poeta, novelista, dramaturgo y filósofo.

En 1554 apareció en España *Lazarillo de Tormes,* obra
10 que dió a conocer[14] al mundo un tipo de novela enteramente original: la novela picaresca. El personaje principal de la obra es Lazarillo, un pícaro,[15] que nace en el río Tormes, río de Salamanca, y sirve de criado[16] a amos de diferentes clases sociales. Este tipo de novela presenta un aspecto de la sociedad
15 de la época y de sus costumbres.

Además de las ciudades de interés y de importancia hay "patrias chiquitas" dentro de la región leonesa. Una de las más curiosas es la Maragatería, cerca de la ciudad de Astorga, en la meseta. Aquí viven unos miles de habitantes que se
20 mantienen más o menos aparte de los otros leoneses, tanto que no les gusta que un maragato o una maragata se case con nadie

---

[12] **"La vida retirada"**   The Contemplative Life:
   What a peaceful life
   Is that of the man who flees from the noisy world
   And walks down the secluded path
   Down which have walked
   The few wise men who have lived in the world!
[13] **rector:**   *en inglés se llama* "president."
[14] **dió a conocer**   introduced, presented   [15] **pícaro**   rogue, rascal
[16] **sirve de criado . . .**   he is a servant . . .

"de fuera."[17] Como el clima de la meseta maragata es extremado y seco, resulta muy difícil ganarse la vida allí y los hombres tienen que ir a trabajar a otras partes de España. Por eso son las mujeres las que cultivan los campos. Para celebrar los días de fiesta los maragatos se visten de gala[18] con traje de estilo muy distinto y de colores muy vivos. Una de las fiestas que se celebran en la Maragatería, como también en todo el norte de España, es la de San Juan.[19] En estos días los jóvenes bailan alrededor de un árbol llamado "el mayo"[20] que ponen en la plaza después de quitarle todas las ramas menos unas cuantas en la punta. ¡Qué interesante que se baile[21] alrededor de un tronco de árbol o de un palo en lugares tan distintos como Inglaterra, con su "Maypole Dance," y la Maragatería, con su "mayo"!

VOCABULARIO Y EXPRESIONES

amarillo	yellow	olvidar	to forget
aparecer	to appear	el oro	gold
la catedral	cathedral	el pastor	shepherd
contemporáneo	contemporary	la piedra	stone
cruzar	to cross	el poeta	poet
el descubrimiento	discovery	la reina	queen
el edificio	building	el resto	the rest
encontrar (ue)	to be, be found	resultar	to be
el estudiante	student	segar (ie)	to reap
gótico	Gothic	el traje	dress, costume
hermoso	beautiful	la universidad	university
mostrar (ue)	to show, prove	el viaje	voyage, trip
la novela	novel		

más bien   rather   sobre todo   especially, above all

lo que   what, that which   parecerse a   to resemble

[17] se case con nadie "de fuera"   marry an outsider
[18] se visten de gala   they dress up
[19] *Esta fiesta tiene lugar el 24 de junio*
[20] "el mayo"   the Maypole   [21] se baile   people dance

saber de memoria   to know by heart
ganarse la vida   to earn one's living

I. PREGUNTAS:

1. ¿Quién le dió a Cristóbal Colón la ayuda necesaria para su famoso viaje?
2. ¿Viene el nombre de León del nombre del animal?
3. ¿Dónde se encuentra León?
4. ¿Qué montañas la cruzan?
5. ¿Cómo es casi todo el resto de la región?
6. ¿Qué río muy importante la cruza?
7. ¿Qué caracteriza el paisaje de León?
8. ¿A qué se dedica la mayor parte de los leoneses?
9. ¿Quiénes siegan los campos en el norte?
10. ¿Cuál es la capital de León?
11. ¿Cómo se consideran los ventanales de la catedral de León?
12. ¿Por qué es famosa la ciudad de Salamanca?
13. ¿De qué color es la piedra de que están construidos muchos de los edificios de Salamanca?
14. ¿Qué dió gran fama a Salamanca en los siglos XV y XVI?
15. ¿Quién fué la gran figura contemporánea en la vida de la universidad de Salamanca?

II. EXPLIQUE EN ESPAÑOL LAS FRASES SIGUIENTES:

1. el estilo plateresco
2. la Casa de las Conchas
3. "Roma chica"
4. "el mayo"
5. Alfonso XI de León

III. TEMAS DE COMPOSICIÓN ORAL:

1. Fray Luis de León.
2. *Lazarillo de Tormes.*
3. La fiesta de San Juan.

GALICIA

EL CAMINO DE SANTIAGO

> A mí me gusta la gaita,
> ¡Viva la gaita!
> ¡Viva el gaitero!
> A mí me gusta la gaita
> Que tenga el fuelle
> De terciopelo.[1]

A ALGUNOS les sorprenderá oír decir que la gaita es uno de los instrumentos musicales preferidos del norte de España, creyendo que sólo en Escocia y en Irlanda se toca la gaita.

Sabemos que los escoceses y los irlandeses son de origen [5] celta y, según los historiadores, los celtas entraron en Galicia muchísimo antes del nacimiento de Cristo. Existe la leyenda que fué un celta de Irlanda, Breogon, quien desembarcó en Galicia, cerca de donde está ahora la famosa Torre de

---

[1] I like the bagpipe very much.
Long live the bagpipe!
Long live the piper!
I like a bagpipe
That has its bellows
Made of velvet.

Hércules,[2] y estableció una colonia en esa parte de la Península Ibérica. Pero la verdad es que no se sabe con seguridad el origen de los habitantes de Galicia, los gallegos. Se cree, sin embargo, que se relacionan con los pueblos de Portugal. En
5 todo caso, su lengua, el gallego, es muy parecida al portugués.

Galicia, con sus cuatro provincias (Coruña, Pontevedra, Lugo y Orense), tendrá[3] millón y medio de habitantes. Los gallegos de hoy tienen fama de ser trabajadores y fuertes, pero, a la vez, supersticiosos y de alma poética. Como llueve
10 mucho en esa parte de España el gallego no se separa de dos cosas: su paraguas[4] y su cigarrillo. Los campos y las montañas, los Montes Cantábricos, están cubiertos de árboles.[5] Por eso se la ha llamado la "Suiza española" y la "Irlanda española." Las rías[6] en la costa son muy semejantes a los fiordos escan-
15 dinavos. En una de estas rías se halla la ciudad de Vigo, el gran puerto marítimo de Galicia.

Uno de los hechos que más han influido en la vida de esta región fué el descubrimiento hacia el año 812 de un sepulcro que se considera el sepulcro del Apóstol Santiago.
20 Según la tradición, un ermitaño[7] observó extrañas luces en una montaña y una estrella le indicó el camino al lugar donde estaba el sepulcro, lugar al que se dió el nombre de Compostela.[8] Sobre esta tumba fué construido un santuario y poco después la magnífica catedral románica con su famoso Pórtico
25 de la Gloria.[9] De todas partes de Europa, sobre todo de Inglaterra y de Francia, vinieron a venerar al Santo peregrinos, en gran número durante tres siglos, que traían sus costumbres y su cultura. Para llegar estos cristianos a lugar tan apartado,

[2] la Torre de Hércules *a lighthouse tower attributed to the Emperor Trajan (98-117)*   [3] tendrá has about   [4] paraguas umbrella
[5] *Abundan los pinos, los robles y los castaños*
[6] ría estuary   [7] ermitaño hermit
[8] Compostela = "Campus Stellae," Field of the Star
[9] Pórtico de la Gloria Portal of Glory, *a magnificently carved entrance way out of which lead the three main doors to the cathedral*

seguían las antiguas vías romanas. El más importante de estos caminos se llama aún el "Camino de Santiago." La gente comparaba la cantidad de estrellas de la Vía Láctea[10] del cielo al número de peregrinos que pasaban por este camino, y dió el nombre de "Camino de Santiago" a la Vía Láctea.

Se dice que el Apóstol predicó en España y que amaba mucho el país. Es muy interesante la leyenda que cuenta la manera milagrosa en que el cuerpo del Santo fué trasladado (hacia el año 42) a la costa de Galicia en una enorme concha después de su muerte en Jerusalén a manos del rey Herodes.[10] Es a causa de esta leyenda que el símbolo del peregrino a Santiago de Compostela es una concha.[11] El Apóstol Santiago es considerado el Santo Patrón de España, y el grito "¡Santiago y cierra España!"[12] se usaba antiguamente para animar a los soldados en las batallas, sobre todo en la guerra contra los moros. La fiesta de Santiago se celebra hoy en toda España el 25 de julio.

La "patria chica" gallega ha sido interpretada por muchos autores importantes. Entre ellos hay dos que vivieron y escribieron a fines del siglo XIX y a principios del siglo XX. En sus *Cantares Gallegos*[13] Rosalía de Castro trata de varios problemas sociales, como el problema de la emigración a la América del Sur. La Galicia que nos presenta el novelista y dramaturgo Ramón del Valle-Inclán es una interpretación de "una Galicia lírica, sensual y supersticiosa."

De la costumbre de reunirse los jóvenes en los molinos para charlar y bailar viene el nombre del baile gallego más

---

[10] **Vía Láctea** Milky Way
[11] *El símbolo del peregrino a Roma fueron las llaves cruzadas de San Pedro; el símbolo del peregrino a Jerusalén fué la cruz; más tarde la concha llegó a ser símbolo de todos los peregrinos*
[12] **"¡Santiago y cierra España!"** *A free translation might be:* Forward, Spain, *under the protection of St. James!*
[13] **Cantares Gallegos** Galician Songs

conocido, la muñeira.[14] El baile es acompañado por el tamboril[15] y la gaita.

    Para dar una idea de la música y de la lengua gallegas,
se ha escogido una canción de amor que se oye cantar en aquel
5 paisaje de prados y bosques:

Gallego	*Español*
A raiz d'o toxo verde	La raíz del tojo verde
é moi mala d'arrincar,	Es muy mala de arrancar,
os amoriños primeiros	Y los amores primeros
son moi malos d'olvidar (bis)	Son muy malos de olvidar (bis)
Ay la, ay la, ay la, la ra, la la.	Ay la, ay la, ay la, la ra, la la.[16]

Cantar de pandeiro

VOCABULARIO Y EXPRESIONES

bailar	to dance	**celebrar**	
el baile	dance		to take place, be celebrated
la batalla	battle	**el celta**	Celt

[14] la muñeira o molinera   miller's wife
[15] tamboril   *tambor pequeño que se toca para acompañar los bailes*
[16] The root of the green furze
    Is very hard to pull out,
    One's first love
    Is hard to forget.

contar (ue)	to tell	**la muerte**	death
creer	to believe	**observar**	to notice
desembarcar	to land	**el origen**	origin
la estrella	star	**el sepulcro**	sepulcher
la gaita	bagpipe	**el soldado**	soldier
el grito	call, cry	**sorprender**	to surprise
la guerra	war	**tocar**	to play
el instrumento	instrument	**la torre**	tower
la luz	light	**trabajador**	hard-working
el molino	mill	**la tradición**	tradition

relacionarse con to be related to

en todo caso in any case, anyway   **a la vez** at the same time

llamarse to be called   **tratar de** to deal with

I. PREGUNTAS:

1. ¿Cuál es uno de los instrumentos musicales preferidos de Galicia?
2. ¿Cuándo entraron los celtas en Galicia?
3. ¿Cómo se llama la lengua que hablan en esta región?
4. ¿A qué lengua se parece mucho el gallego?
5. ¿Cómo son los gallegos de hoy?
6. ¿Llueve mucho en esta región?
7. ¿Qué es Vigo?
8. ¿Qué observó un ermitaño en una montaña?
9. ¿Qué nombre se dió al lugar donde se construyó el santuario?
10. ¿Qué camino seguían los peregrinos para llegar a Santiago?
11. ¿Qué traían a España los peregrinos?
12. ¿Qué símbolo usaban los peregrinos que iban a Santiago?
13. ¿Para qué se usaba antiguamente el grito "¡Santiago y cierra España!"?
14. ¿Cuándo se celebra en España la fiesta de Santiago?
15. ¿Bailan y cantan mucho los gallegos?

II. APRENDA DE MEMORIA UNA DE LAS CANCIONES DE LA
    LECCIÓN.[1]

III. TEMAS DE COMPOSICIÓN ORAL:

1. Origen de los gallegos.
2. El Camino de Santiago.
3. Dos autores gallegos modernos.

[1] Learn by heart one of the songs in the lesson.

CASTILLA LA VIEJA (I)

CORAZÓN DE ESPAÑA

AL PRINCIPIO de la Reconquista los cristianos construyeron en la meseta española castillos para su defensa. Muchos de estos castillos estaban lejos de las ciudades y por eso sus habitantes podían ver acercarse a los moros y avisar a los que vivían en las ciudades. Había tantos cerca de Burgos, capital[1] de Castilla durante un período de la Edad Media, que se dió el nombre de Castilla a la región. Más tarde el territorio se dividió en Castilla la Vieja y Castilla la Nueva.

Castilla la Vieja[2] está situada en la parte norte de la meseta central. Su clima es duro y frío la mayor parte del año y su paisaje es austero y yermo,[3] pero no es completamente árido porque es aquí donde[4] se cultivan cereales, sobre todo el trigo. Después de la cosecha la meseta queda tan escasa de alimentos que, según un dicho,[5] si una golondrina[6] quiere

---

[1] *Entre otras ciudades españolas que han servido de capital durante diferentes períodos de su historia están Toledo, León, Sevilla y Valladolid*

[2] *Las provincias que forman esta región son Ávila, Segovia, Soria, Logroño, Burgos y Santander*

[3] **yermo** barren [4] **es aquí donde** this is the place where
[5] **un dicho** a "saying" [6] **una golondrina** a swallow (bird)

cruzarla debe llevar consigo su propio grano o se muere de
hambre; se ha dicho que Castilla la Vieja "está más cerca del
cielo que del Mar Mediterráneo," o sea que la dificultad de
ganarse la vida en esta tierra yerma hace pensar a la gente en
5 los valores espirituales, mientras que la vida más fácil cerca del
Mar Mediterráneo deja a la gente más contenta con este
mundo.

El paisaje de Castilla la Vieja ha inspirado a sus habitantes
a las grandes hazañas, temporales y espirituales. Castilla ha
10 unido a España y la ha dominado desde la formación de la
nación; Castilla ha dado su lengua, el castellano, al país; y es
Castilla la que ha formado el carácter grave, orgulloso,
estoico,[7] idealista y a la vez práctico que se considera el verdadero carácter español. En su aspecto físico, también, se le
15 considera al castellano[8] el español representativo. Tiene ojos
negros, pelo negro, la tez morena y es de estatura mediana.
Hay personas que creen que el castellano no canta, y quizás en
comparación con los habitantes de las otras regiones sea[9]
verdad, sin embargo algunos de los villancicos[10] más delicados
20 y sentidos[11] son los que se cantan en Castilla. Entre los más
conocidos hay uno cuyo coro es el siguiente:

> Brincan y bailan los peces en el río,
> brincan y bailan de ver a Dios nacido.
> Brincan y bailan los peces en el agua,
> brincan y bailan de ver nacida el alba.

---

[7] **estoico**   stoic (al)
[8] **se le considera al castellano**   the Castilian is considered
[9] **sea**   it may be
[10] **villancico**   Christmas Carol. *The chorus of this one may be freely
translated:*
> The fish in the river leap and dance,
> They leap and dance for joy that God is born.
> The fish in the water leap and dance,
> They leap and dance for Dawn has come.
[11] **sentidos**   deeply felt

Brincan y bailan

"Brin-can y bai-lan los peces en el rí-o
brincan y bai-lan de ver a Dios na-ci-do —"

Castilla, como Asturias y Galicia, tiene su trozo de costa en el Mar Cantábrico, y el magnífico puerto de Santander[12] es el más importante de la región y tal vez el más seguro de toda la costa. En el pueblo de Santillana del Mar, en la provincia de Santander, se halla la cueva de Altamira con sus famosos dibujos prehistóricos. [5]

Al sur de Santander y casi en el centro de Castilla la Vieja está Burgos cuyo clima es tan riguroso y frío que un dicho gracioso lo describe así: "En Burgos no hay más que dos estaciones, el invierno y la estación de ferrocarril."[13] Su [10] catedral gótica, una de las más hermosas no sólo de España sino[14] del sur de Europa, es un buen ejemplo del estilo gótico en España. Sus torres altas y esbeltas se elevan majestuosamente hacia el cielo.

Aunque la mayor parte de Castilla es una meseta seca, [15] cerca de los ríos se encuentran tierras fértiles y risueñas. Unas millas al este de Burgos, por ejemplo, en las riberas del río Ebro hay un verdadero oasis de vegetación, llamado la Rioja, con huertas y viñas que producen excelentes vinos que se comparan favorablemente con los vinos de Francia y de Italia. [20]

El río Ebro, único río grande que desemboca en el Mar

[12] **Santander:** está situado en la parte de Castilla que se llama "la Montaña"
[13] **dos estaciones, el invierno y la estación de ferrocarril:** *a pun on two meanings of* **estación,** *"season" and "station"*
[14] **no sólo de España sino . . .** not only of Spain but . . .

Mediterráneo, y el río más largo[15] que corre enteramente por España, también tiene la fama de haber dado su nombre a toda la Península Ibérica. Otro río que contribuye a regar la tierra castellana es el Duero, que nace en Castilla la Vieja, 5 pasa por León, y saliendo por Portugal, desemboca en el Océano Atlántico.

En el sudoeste de Castilla se halla Segovia, ciudad verdaderamente fascinadora. Aquí se ve el magnífico acueducto que los romanos construyeron de piedra, sin el uso de arga- 10 masa.[16] Tiene 160 arcos y es de un kilómetro de longitud. Uno de los nombres con que se conoce este acueducto es el de "Puente del Diablo." Hay varias versiones de una leyenda que cuenta que fué el Diablo mismo quien construyó el maravilloso puente. Según una, vivió hace muchos siglos[17] una 15 campesina segoviana muy bonita que estaba cansada de tener que bajar todos los días a la fuente a buscar agua. Un día el Diablo la vió y le propuso casarse con ella. Le prometió hacer lo que quisiera.[18] La joven, que tenía mucho miedo de ofender al Diablo, decidió pedirle la construcción en una sóla noche de 20 un enorme acueducto, creyendo que le sería imposible. Al Diablo no le pareció imposible y él y muchos diablillos trabajaron toda la noche, cortando piedras de granito de los lugares cercanos y poniéndolas en su sitio. Cuando la joven bajó a buscar agua a la mañana siguiente vió terminado el acueducto. 25 Asustada y para pedir protección divina la joven se hizo la señal de la cruz en la frente.[19] Esto espantó tanto al Diablo que huyó para siempre de España.

¿No es verdad que cuando los norteamericanos sueñan despiertos con planes un poco imposibles de realizar dicen que

[15] *El río Ebro tiene unas 575 millas de largo*   [16] argamasa cement
[17] hace muchos siglos many centuries ago
[18] lo que quisiera anything she wished
[19] se hizo . . . en la frente she made the sign of the cross on her forehead

están construyendo "castillos en España?"[20] Tal vez la persona que pensó primero en esa expresión en inglés hubiera visto[21] el famoso castillo o, mejor dicho, Alcázar de Segovia, porque este Alcázar puede servir de modelo a todos los castillos románticos del mundo. Está situado en una alta roca, domi- 5 nando un valle. Al pie de la roca se unen dos ríos, el Eresma y el Clamores. La piedra de que está construido es de un color amarillo, como la de muchos de los otros edificios de Segovia, y cuando el cielo está muy azul, las torres doradas destacan formando un cuadro inolvidable. 10

VOCABULARIO Y EXPRESIONES

acercarse	to approach	la fuente	fountain
el acueducto	aqueduct	hacia	toward
el alimento	food, nourishment	huir	to flee
el aspecto	appearance	idealista	idealistic
bajar	to go down, come down	moreno	brunet
buscar	to look for, get	morir (ue, u)	to die
el carácter	character	el período	period, era
el cielo	sky, heaven	práctico	practical
construir	to build	prometer	to promise
el corazón	heart	el puente	bridge
la cosecha	harvest	regar (ie)	to water, irrigate
el cuadro	picture	la tez	complexion
destacar	to stand out	el trigo	wheat
la frente	forehead		

casarse con to marry   tener miedo de to be afraid of
a la mañana siguiente next morning
soñar (ue) con to dream of   tal vez perhaps
no más que only   pensar (ie) en to think of

[20] *Los españoles dicen "castillos en el aire"*
[21] hubiera visto might have seen

I. PREGUNTAS:

1. ¿De dónde viene el nombre de Castilla?
2. ¿Dónde está situada Castilla la Vieja?
3. ¿Cómo es el clima de esta región?
4. ¿Qué se cultiva en la meseta?
5. ¿Por qué se llama a Castilla "corazón de España"?
6. ¿Es importante el puerto de Santander?
7. ¿Por qué es muy famosa la cueva de Altamira?
8. ¿Cómo es la catedral de Burgos?
9. ¿Qué producen las viñas de la Rioja?
10. ¿Cuáles son los dos ríos más importantes que riegan esta región?
11. ¿En qué mar desemboca el río Ebro?
12. ¿Por dónde pasa el río Duero?
13. ¿Dónde se halla Segovia?
14. ¿Cómo es el acueducto de Segovia?
15. ¿Le parece a Vd. interesante la leyenda del "Puente del Diablo?" ¿Por qué?

II. COMPLETE ESTAS FRASES CON PALABRAS DEL TEXTO:

1. Después de _____ la meseta queda tan escasa de _____ que una golondrina _____ de hambre si no lleva consigo su propio grano.
2. El Diablo le propuso _____ con ella.
3. El castellano tiene _____ negros, _____ negro, _____ morena y es de estatura _____.
4. La joven _____ de ofender al Diablo.
5. Cuando la joven _____ a _____ agua a la mañana siguiente vió terminado el acueducto.
6. La dificultad de _____ en esta tierra yerma hace _____ a la gente _____ los valores espirituales.
7. ¿No es verdad que cuando los norteamericanos _____ despiertos _____ planes un poco _____ de realizar dicen que están construyendo "_____"?

8. Las torres _____ y _____ de la catedral de Burgos se _____ majestuosamente hacia _____.

9. "En Burgos _____ hay _____ dos estaciones, _____ y _____ de ferrocarril."

10. El río Ebro es el río _____ que _____ enteramente por España.

III. TEMAS DE COMPOSICIÓN ORAL:

1. El carácter español.
2. La leyenda de "El Puente del Diablo."
3. El Alcázar de Segovia.

CASTILLA LA VIEJA (II)

TIERRA DE GUERREROS Y SANTOS

EN EL siglo XI había ya cerca de la ciudad de Burgos una aldea llamada Vivar en donde nació el gran héroe nacional de España, Rodrigo Díaz de Vivar, conocido por el nombre que le dieron los árabes, *El Cid*.[1] Un autor desconocido
5 del siglo XII nos presenta al Cid en el poema épico castellano más antiguo que se ha conservado. Este poema, *Cantar de mío Cid* o *Poema del Cid* cuenta las hazañas de este guerrero, al que[2] se considera el tipo perfecto de guerrero de la época en que vivió. Como se conoce al héroe primero por el poema y
10 después por los documentos históricos, es a veces difícil distinguir entre la leyenda y la verdad histórica. Del Cid, al que se consideraba invencible, hay una leyenda que refiere que unos años después de su muerte en Valencia del Cid, su esposa doña Jimena pidió a sus vasallos que pusieran[3] en su famoso
15 caballo, Babieca, el cuerpo embalsamado[4] del Cid para poder

---

[1] **El Cid** means "my lord" in Arabic. The Spaniards named him the **Campeador**, meaning "champion"
[2] **al que** who   [3] **que pusieran** to put
[4] **embalsamado** embalmed

salir de Valencia del Cid, que estaba rodeada por los moros. Los moros se disponían a atacarlos pero se sorprendieron tanto de volverle a ver y sintieron tanto respeto por él que dejaron pasar a todos sin molestarlos y doña Jimena siguió su camino hacia Castilla con el cuerpo de su marido. Así es que 5 el Cid ganó una victoria aún después de muerto. En el *Poema del Cid* hay unos versos que describen la tristeza del Cid, esposo y padre, al tener que separarse de su esposa y de sus hijas:

> "a Dios vos acomiendo—e al Padre spiritual;
> agora nos partimos,—Dios sabe el adjuntar."
> Llorando de los ojos,—que non vidiestes atal,
> assís parten unos d'otros—commo la uña de la carne.[5]

En el mismo siglo en que vivió el Cid (siglo XI) se 10 fundó en el sudoeste de Castilla la Vieja la ciudad de Ávila, una de las ciudades de la Edad Media que todavía conservan en buen estado las altas y fuertes murallas que la rodean completamente. En la misma ciudad cinco siglos más tarde nació una mujer que algunos escritores y críticos creen es una 15 de las mujeres más extraordinarias de todas las épocas, Teresa Sánchez Cepeda Dávila y Ahumada. Se metió monja carmelita y se dedicó a reformar la Orden Carmelita y a fundar conventos. Esta monja, que después de su muerte fué canonizada con el nombre de Santa Teresa de Jesús, era una mujer muy 20 práctica en cuanto a la fundación y el gobierno de los conventos, y también una gran mística. Su libro *El castillo interior* se considera una de las obras místicas más sinceras y más sentidas del mundo. Además de su obra en prosa dejó algunas

[5] "God be with you, my daughters, we must part
and He alone knows when we shall be together again."
How they all wept! Never have you seen more tears;
As the fingernail is torn from the flesh, so they
parted one from the other.

poesías. Entre éstas es muy conocida su *Letrilla*, sencilla expresión de su fe:

> Nada te turbe:
> Nada te espante;
> Todo se pasa;
> Dios no se muda,
> La paciencia todo lo alcanza.
> Quien a Dios tiene
> Nada le falta.
> Solo Dios basta.[6]

Contemporáneo de Santa Teresa fué el fraile carmelita San Juan de la Cruz (1542-1591), su amigo y discípulo. Igual 5 que ella fué reformador de la Orden, fundador de conventos, escritor y además uno de los poetas místicos más grandes de todos los tiempos y de todos los pueblos. Su poesía *Suma de la perfección* expresa lo más sencillamente posible el camino de llegar a conocer a Dios:

> Olvido de lo criado
> Memoria del Criador,
> Atención a lo interior
> Y estarse amando al Amado.[7]

10   También de Castilla la Vieja fué el novelista José María de Pereda (1833-1906), quien nació y pasó la mayor parte de su vida cerca de Santander. Él, mejor que nadie, ha descrito el

[6] Let nothing trouble you;
Let nothing frighten you;
Everything passes away;
God does not change,
Patience achieves everything.
He who has found God
Lacks nothing.
God alone is sufficient.
[7] Forget all created things
Remember only the Creator,
Turn your thoughts inward
And ceaselessly love the Beloved.

paisaje, la vida y las costumbres de los pueblos de la Montaña
en *Peñas Arriba*,[8] y de la costa en *Sotileza*.[9]

VOCABULARIO Y EXPRESIONES

aún	even	pedir (i)	to ask for
describir	to describe	el poema	poem
el escritor	writer	la prosa	prose
el esposo	husband	referir (ie, i)	to tell, relate
la fe	faith	el santo	saint
el gobierno	government	seguir (i)	to follow
el guerrero	warrior	sencillo	simple
el héroe	hero	sentir (ie, i)	to feel
el marido	husband	sincero	sincere
la monja	nun	la tristeza	sadness
la obra	work		

disponerse a	to get ready to
sorprenderse de	to be surprised at
dedicarse a	to devote oneself to
en cuanto a	in regard to

I. PREGUNTAS:

1. ¿En qué siglo nació el héroe nacional de España, Rodrigo Díaz de Vivar?
2. ¿Qué nombre le dieron los árabes?
3. ¿Quién nos presenta al Cid?
4. ¿Cómo se llama el poema que describe sus hazañas?
5. ¿Parece buen padre y esposo el Cid?
6. ¿Por qué es difícil a veces distinguir entre la leyenda y la verdad histórica en cuanto al Cid?
7. ¿En qué ciudad murió el Cid?
8. ¿Qué ciudad se fundó en el mismo siglo en que vivió el Cid?
9. ¿Qué conserva todavía esta ciudad?

[8] Peñas Arriba   On the Mountain Top   [9] Sotileza: *name of the heroine*

10. ¿Quién nació en Ávila cinco siglos después de su fundación?
11. ¿A qué se dedicó Santa Teresa?
12. ¿Cómo la consideran algunos escritores y críticos?
13. ¿En qué siglo vivió San Juan de la Cruz?
14. ¿Describió Pereda sólo la vida de la costa en sus novelas?
15. ¿Por qué se ha llamado a Castilla la Vieja "tierra de guerreros y santos"?

II. COMPLETE ESTAS FRASES CON PALABRAS DEL TEXTO:

1. Un autor desconocido nos presenta al Cid en el poema _____ más _____ que se ha conservado.
2. Se considera al Cid _____.
3. La ciudad de Valencia del Cid _____.
4. Los moros _____ atacarlos.
5. Los moros _____ tanto respeto _____ él que dejaron pasar a todos sin molestarlos.
6. Doña Jimena _____ con el cuerpo de su marido.
7. Santa Teresa era una mujer muy _____ y también una gran _____.
8. Entre sus poesías es muy conocida su "_____."
9. Igual que Santa Teresa, San Juan de la Cruz fué _____ de la Orden, _____ de conventos, y uno de los poetas _____ más grandes.
10. Pereda _____ y _____ en Santander.

III. HABLE SOBRE UNO DE LOS SIGUIENTES TEMAS:

1. La leyenda del invencible Cid.
2. Santa Teresa.
3. San Juan de la Cruz.

ARAGÓN (I)

"NADIE NOS GANA A CONSTANTES
NI A CABEZUDOS NI A TERCOS"[1]

ARAGÓN es la región española situada al noreste del país,
entre los Pirineos, Cataluña, Valencia, las dos Castillas y
Navarra. Sus tres provincias son Zaragoza, Huesca y Teruel;
del mismo nombre hay tres ciudades histórica y culturalmente
interesantes.   5
   Este territorio presenta muchos contrastes. En el Pirineo
aragonés están las alturas más elevadas de los Pirineos, magníficas con sus blancos picos nevados;[2] estos Pirineos abundan
en ricos bosques, valles pintorescos y hermosos lagos. La
llanura por donde corre el río Ebro es árida pero de espléndi-10
das huertas en las tierras que riega. La parte sur de Aragón
la ocupan las tierras altas de la provincia de Teruel. Una
graciosa copla aragonesa canta:

[1] "No one is more loyal, headstrong and stubborn than we" *Words used*
   by one of the characters in the musical play "Gigantes y Cabezudos"
   to describe the people of Aragón
[2] **blancos picos nevados** snow-capped mountains

73

El clima de Zaragoza
es como tu corazón,
cada cinco o seis minutos
sufre alguna variación.

Para la mayor parte de Aragón esta "variación" que canta la
copla quiere decir que en invierno hace mucho frío, en el
verano hace mucho calor y que llueve poco todo el año. Pero
donde llega el agua abundan las huertas y los árboles frutales
5 (¡los melocotones[3] son exquisitos!). El viajero no puede menos
de fijarse en sus viñedos,[4] sus olivares[5] y sus campos de trigo.
Cerca del Ebro se cultiva la mayor parte de la remolacha
azucarera que se usa en la fabricación de azúcar, una de las
industrias de la localidad. Otro cultivo importante es el
10 azafrán,[6] del que produce más de las dos terceras partes del
azafrán español.

A los habitantes de esta región los llaman "aragoneses."
Estos individuos tienen, generalmente, el pelo negro y los
ojos negros. Hay que añadir, también, que es una de las
15 comarcas españolas en que se ven más personas de ojos azules
y pelo rubio. Si le preguntan a un español qué caracteriza
mejor a un aragonés contestará: ser terco. En efecto, el
aragonés tiene tanta fama de ser terco que para indicar que
una persona es muy obstinada se dice "pareces aragonés" o
20 "¡qué aragonés eres!" Claro, esta característica no es la única:
el aragonés es sobre todo franco, trabajador y de pocas palabras,
espontáneo, independiente y valiente, características estas dos
últimas que ha demostrado siempre en su historia.

Una ocasión memorable en que los habitantes de esta
25 región dieron pruebas de su valor y de su amor a la independencia fué en el siglo VIII cuando en un valle del actual

---

[3] **melocotones** peaches
[4] *De los vinos aragoneses sobresalen los de Cariñena, tan buenos que
compiten con el jerez andaluz*
[5] **olivares** olive groves   [6] **azafrán** saffron

Pirineo aragonés resistieron a los árabes. Este pequeño núcleo fué poco a poco adquiriendo importancia hasta lograr su independencia. Cuando el reino de Aragón alcanzó fama y poder fué desde el siglo XII al unirse a Cataluña (1137). Entonces empieza su gran período de expansión territorial por el Medi- 5 terráneo que lleva a aragoneses y a catalanes[7] hasta Constantinopla, y más tarde (siglo XIV) a apoderarse del ducado de Atenas.[8] En 1479 se unen Aragón y Castilla, momento de suma importancia en la unificación española.

Además de valiente, terco, trabajador, etc., el aragonés 10 es amigo de divertirse. Al decir "aragonés" uno no puede menos de pensar en su baile, la jota, baile especialmente característico de Aragón, aunque se baila en otras regiones también. En toda fiesta popular aragonesa les gusta bailar jotas: el muchacho y la muchacha se dan cara[9] y bailan al son de una 15 música animada y alegre. Cuando el aragonés canta la jota pone su alma en ella, cante a la Virgen, a la Patria, a la novia, o a quien sea.[10] Una costumbre de los jóvenes de esta región es la de ir de ronda: un grupo de muchachos, acompañados siempre de guitarras y otros instrumentos, tocan jotas por la 20 calle y de vez en cuando se paran delante de una ventana o de un balcón de alguna joven conocida suya a cantarle una.

Aragón conserva todavía bastante el traje regional, especialmente entre los campesinos. Interesan por su antigüedad y su originalidad los trajes de las mujeres del Valle de Ansó.[11] 25 Entre los varios trajes sobresale el vestido de anchos pliegues, sin talle y sin mangas,[12] a menudo de color verde. Los brazos

[7] catalanes   Catalans, natives of Catalonia
[8] ducado de Atenas   duchy of Athens   [9] se dan cara   face each other
[10] cante a la Virgen . . . o a quien sea   whether he sings to the Virgin, to his country, to his sweetheart or to whomever it may be
[11] *Valle de la provincia de Huesca, en los Pirineos*
[12] el vestido de anchos pliegues . . . y sin mangas   the sleeveless dress, hanging in loose pleats from the shoulders

se cubren con las mangas largas y huecas de la camisa;[13] al
cuello llevan ancha gorguera;[14] a menudo se cubren la cabeza
y las espaldas con una especie de velo blanco o negro. En el
valle crían mucho ganado y cultivan hierbas medicinales que
5 las mujeres venden de pueblo en pueblo.

Esta región es también muy rica en hombres célebres.
Entre los antiguos es famoso el poeta romano Marco Valerio
Marcial (siglo I) por sus epigramas; Juan Pablo Bonet (1560-
1621), caballero que dedicó muchos años de su vida a enseñar
10 a los sordomudos[15] y quien debe su fama a haber inventado el
alfabeto para enseñarles a hablar; y por último una de las
glorias de España, Francisco Goya y Lucientes (1746-1828),
pintor de gran personalidad, originalidad y profundidad.

VOCABULARIO Y EXPRESIONES

el alma	soul	el cuello	neck
el amor	love	franco	frank
el aragonés	native of Aragón	la independencia	independence
ancho	wide	el lago	lake
el azúcar	sugar	la novia	sweetheart
azul	blue	ocupar	to occupy
el balcón	balcony	resistir	to resist
el bosque	woods	valiente	valiant, brave
conservar	to preserve	la ventana	window
el contraste	contrast		

hacer frío (calor)   to be cold (hot)

no poder menos de   cannot help   fijarse en   to notice

ser amigo de   to be fond of   acompañado de   accompanied by

de vez en cuando   from time to time, occasionally

a menudo   often   de pueblo en pueblo   from town to town

[13] los brazos se cubren . . . de la camisa   they cover their arms with long
and puffed sleeves of a sort of a shirt
[14] al cuello llevan ancha gorguera   around their necks they wear wide
ruffs   [15] sordomudos   deaf and dumb

I. PREGUNTAS:

1. ¿Dónde está Aragón?
2. ¿Cuáles son tres ciudades importantes de Aragón?
3. ¿Dónde están los picos más altos de los Pirineos?
4. ¿Dónde está la parte más fértil de Aragón?
5. ¿Dónde hay muchas huertas y árboles frutales?
6. ¿Cuáles son dos industrias importantes de Aragón?
7. ¿Cómo es el clima de Zaragoza?
8. ¿De qué color tienen los aragoneses el pelo y los ojos?
9. ¿Qué quiere decir "¡qué aragonés eres!"?
10. ¿De qué dieron prueba los aragoneses en el siglo VIII cuando resistieron a los árabes?
11. ¿Hasta dónde llegaron los aragoneses en su expansión territorial por el Mediterráneo?
12. ¿En qué año se unieron Aragón y Castilla?
13. ¿Qué es la jota? ¿Es canto o baile o los dos?
14. ¿Qué les gusta hacer por las noches a los muchachos aragoneses? ¿De qué van acompañados?
15. ¿Dónde está el Valle de Ansó? ¿Por qué es interesante?
16. ¿Quién fué Juan Pablo Bonet?
17. ¿Ha visto Vd. algún cuadro de Goya? ¿Cuál?
18. ¿Qué le gustaría visitar, los Pirineos aragoneses o la llanura por donde corre el Ebro?

II. HAGA[1] FRASES CON LAS EXPRESIONES SIGUIENTES:

1. hacer frío   2. de pueblo en pueblo   3. ser amigo de
4. de vez en cuando   5. no poder menos de   6. a menudo

III. COMPOSICIÓN ORAL:

1. Describa el campo aragonés.
2. Describa a los aragoneses.
3. Describa a un buen amigo suyo.

[1] Make

CAPÍTULO VII *Patria Chica*

ARAGÓN (II)

ZARAGOZA, "MUY NOBLE Y MUY HEROICA"

Hay varias maneras de explicar la palabra "Aragón." Unos
dicen que toma el nombre del río Aragón, afluente[1] del
Ebro; otros que deriva de la palabra latina *araticum* que quiere
decir "tierra arable." Aragón es una región fértil no solamente
5 en productos materiales, sino también artísticamente.

[1] **afluente** tributary

78

Fué en el antiguo reino de Aragón donde los mudéjares[2] abundaron más y donde permanecieron más tiempo. Será por esto que su arte[3] floreció tanto y en Aragón dejó algunos de sus monumentos más notables. De este arte quedan bellas torres de adornos interesantes, especialmente de ladrillos rojos[5] y azulejos.[4] En la ciudad de Teruel se admiran varios de estos magníficos monumentos entre los que destaca la torre cuadrada de San Martín edificada sobre un arco que va de un lado al otro de la calle.

No podía faltar en España la leyenda de la pareja de[10] enamorados cuyo amor constante es causa de su muerte. Y fué en Teruel donde vivieron (siglo XIII) dos jóvenes que se amaban desde niños.[5] Pero él era pobre y tuvo que salir en busca de fortuna para merecer a Isabel (que así se llamaba la joven). Alcanzó fama y fortuna y volvió a Teruel, pero con[15] tan mala suerte que fué justamente el mismo día y hora en que su amada se casaba con un rival rico. Fué tan fuerte la impresión que sintieron ambos al volverse a ver y en tales circunstancias que murieron casi al mismo tiempo. Pasión tan grande causó tanta admiración que los dos amantes fueron[20] enterrados juntos, ya que[6] la vida los separó. Se conservan bastantes versiones de esta tradición en que se han inspirado tantos artistas. Del siglo XIX destacan dos composiciones basadas en la leyenda: *Los amantes de Teruel*, tragedia romántica de Hartzenbusch y la ópera del mismo título del[25] maestro Tomás Bretón.

La ciudad de Zaragoza es próspera y floreciente y una de

---

[2] *Árabes sometidos que continuaron en territorio cristiano sin cambiar de religión*
[3] *El arte mudéjar contiene elementos cristianos y elementos árabes*
[4] **de ladrillos rojos y azulejos**   red bricks and glazed tiles
[5] **desde niños**   from childhood   [6] **ya que**   since

las de más habitantes (264.256). Está situada a orillas del río
Ebro, la comarca más rica de la región. Se comprende que sea[7]
mercado de cereales, vino, aceite y frutas, y centro también
industrial y comercial. Es, además, centro de comunicaciones,
5 cultural y artístico. Zaragoza fué famosa desde sus orígenes,[8]
pero fué durante la Guerra de la Independencia (1808-1814)
cuando verdaderamente se distinguió. Dos veces le pusieron
sitio las tropas francesas que, a pesar de su superioridad militar,
tuvieron que abandonar su primer sitio (1808); en el segundo
10 (1808-1809), para apoderarse de ella tuvieron que tomarla
casa por casa, tales fueron el valor y el heroísmo de los habitantes. De entre los muchos héroes que hubo se destaca una
mujer, Agustina de Aragón, que defendió valientemente
unos cañones cuando quedaron sin soldados. En una plaza de
15 Zaragoza un monumento recuerda hoy el heroísmo de esta
mujer. Por los sacrificios que hicieron los zaragozanos[9] y por
su heroísmo Zaragoza recibió los títulos de "Muy noble y
muy heroica," y más tarde el de "Inmortal."

La iglesia en que los zaragozanos oran con más devoción
20 es el templo de Nuestra Señora del Pilar. Una tradición
española recuerda que por el año cuarenta, un día que el
Apóstol Santiago oraba a orillas del Ebro, se le apareció la
Virgen y le mandó edificar allí un pequeño templo. El pilar
en donde apareció la Virgen y la imagen que de sí misma
25 dejó ocupan la capilla principal del templo actual. Esta Virgen
es fuente de devoción e inspiración de los zaragozanos que con
ella han compartido siempre sus alegrías y sus penas. El 12
de octubre, día en que se conmemora la aparición, es de
grandes fiestas religiosas y Zaragoza se llena de peregrinos de

[7] **que sea**   that it should be
[8] *La fundó el emperador Augusto en el siglo primero antes de Cristo y la
llamó "César Augusta," palabra transformada en la actual Zaragoza*
[9] **zaragozanos**   habitantes de Zaragoza

todas partes. Este día salen los típicos Gigantes y Cabezudos.[10]
Los gigantes, como su nombre indica, son figuras enormes que
se mueven y bailan majestuosa y lentamente. Representan
diversos personajes como una reina mora, un rey cristiano u
otros, siempre vestidos según su época y su origen. Los acom- 5
pañan los cabezudos, personas que se cubren con una enorme
cabeza y bailan y saltan y alegremente persiguen a los chicos.

Zaragoza es rica en monumentos. Entre ellos el palacio
de la Aljafería sería exquisitamente bello a juzgar por los
restos que tanto se admiran aún. Fué residencia de los reyes 10
árabes y desde la Reconquista ha servido diferentes fines.[11]
De especial interés para los que son aficionados al teatro[12] o a
la ópera es la torre llamada "Torre del trovador." Se la
relaciona[13] con el drama romántico *El trovador* (1836) de
Antonio García Gutiérrez. Varias escenas de la tragedia tienen 15
lugar en el palacio de la Aljafería y en los calabozos[14] de la
torre donde estuvo preso el trovador, su protagonista. Años
más tarde (1853) se presentó en Roma *Il Trovatore* del
maestro italiano Verdi. El libreto de esta ópera que tanto
nombre le ha dado, es una adaptación italiana del drama 20
español.

Sí, por todo esto y por mucho más valdría la pena visitar
la "muy noble y muy heroica Zaragoza."

VOCABULARIO Y EXPRESIONES

el adorno	ornament	el arco	arch
la alegría	happiness, joy	el arte	art

---

[10] *Estas figuras no son exclusivas de Zaragoza ni de este día. Salen otras
veces en procesiones y fiestas populares. También las tienen otros
pueblos y ciudades*
[11] Today it is used for barracks
[12] son aficionados al teatro   are fond of the theater
[13] Se la relaciona   It is related   [14] calabozos   dungeons

combinar	to combine	el heroísmo	heroism
cubrir	to cover	merecer	to merit, deserve
distinguirse	to distinguish oneself	la ópera	opera
el drama	drama, play	orar	to pray
enterrar (ie)	to bury	la pareja	couple
la escena	scene	la pena	grief, sorrow
fértil	fertile	permanecer	to remain
florecer	to bloom, flourish	la suerte	luck
la fuente	source	la vida	life

a orillas de on the banks of   poner sitio a to lay siege to

a pesar de in spite of   de todas partes from everywhere

a juzgar por judging by   tener lugar to take place

valer la pena to be worthwhile

I. PREGUNTAS:

1. ¿Quiénes eran los mudéjares?
2. ¿Qué elementos combina el arte mudéjar?
3. ¿Por qué floreció tanto el arte mudéjar en Aragón?
4. ¿Qué monumentos importantes quedan en Teruel?
5. ¿Qué pareja vivió en Teruel en el siglo XIII?
6. ¿Por qué tuvo que salir el joven de Teruel?
7. ¿Qué día volvió el enamorado de Isabel?
8. ¿Qué causó la muerte de los dos enamorados?
9. ¿Qué obras modernas están basadas en esta leyenda?
10. ¿Dónde está situada Zaragoza?
11. ¿Es Zaragoza una ciudad de muchos o pocos habitantes?
12. ¿Por qué es importante Zaragoza?
13. ¿Por qué mereció Zaragoza los títulos de "Muy noble y muy heroica"?
14. ¿Quién fué Agustina de Aragón?
15. ¿A quién se le apareció la Virgen un día por el año cuarenta?
16. ¿Qué le mandó edificar?
17. ¿Cómo se celebra el 12 de octubre en Zaragoza? ¿Y en los Estados Unidos?

18. ¿Por qué interesa el antiguo palacio de la Aljafería de Zaragoza?
19. ¿Qué se presentó en Roma en 1853?
20. ¿Qué relación tiene esa obra con *El trovador* de Antonio García Gutiérrez?

II. COMPLETE LAS SIGUIENTES FRASES SEGÚN EL TEXTO:

1. _____ visitar Zaragoza.
2. El 12 de octubre Zaragoza se llena de peregrinos _____.
3. Los franceses tuvieron que abandonar el sitio de Zaragoza _____ su superioridad militar.
4. Varias escenas de *El trovador* _____ en el palacio de la Aljafería.
5. Los adornos de las torres mudéjares a menudo son de _____ y _____.
6. El arco en que está edificada la torre de San Martín va de un lado al otro _____.
7. La impresión de volverse a ver fué tan fuerte que los enamorados _____ casi al mismo tiempo.
8. La ópera que escribió el maestro Bretón se llama _____.
9. Los franceses tuvieron que tomar la ciudad _____.
10. Los cabezudos persiguen _____ a los chicos.

III. HABLE A LA CLASE SOBRE UNO DE LOS TEMAS SIGUIENTES:

1. La leyenda de los amantes de Teruel.
2. Los sitios de Zaragoza por los franceses.

CAPÍTULO VIII *Patria Chica*

CATALUÑA (I)

"LOS CATALANES, DE LAS PIEDRAS SACAN PANES"[1]

CON este refrán se quiere destacar el ingenio[2] y el carácter trabajador de los catalanes, los habitantes de Cataluña. Su historia los presenta valientes y amantes de la independencia, emprendedores,[3] activos, muy interesados en el comercio y la

[1] The Catalans get bread out of stones
[2] ingenio   ingenuity, cleverness   [3] emprendedores   enterprising

industria, y a la vez amantes de las artes y la cultura; su vivir[4] los presenta amantes de la familia, de su país y del progreso, aficionados a viajar y poco gastadores.

Las cuatro provincias que componen la comarca catalana (Gerona, Barcelona, Tarragona y Lérida) ocupan la parte[5] más noreste de España. El Mar Mediterráneo la baña por el este, al sur está Valencia, al oeste Aragón y al norte los Pirineos y la República de Andorra.

Una de las riquezas de la región es el paisaje que poco a poco descubren los extranjeros y que desde hace muchos años[10] aprecian sus habitantes, muchos de ellos aficionados a las excursiones y a los deportes. Los Pirineos catalanes son conocidos por sus montañas de altos picos nevados y sus valles en invierno aislados por la nieve, pero agradables y frescos en el verano. La costa de Cataluña es bella, especialmente la[15] parte de la provincia de Gerona llamada *Costa Brava*, "brava" por su belleza agreste.[5] Es como un sueño: generalmente las montañas bajan hasta la costa y sus altas rocas, unas veces sin vegetación, otras cubiertas de verdes pinos, se reflejan en un agua clara y transparente, de un azul o un verde intensos que[20] baña playas de arena limpia. No es extraño encontrar en estos lugares, junto al mar, delicadas azucenas[6] y otras plantas olorosas. A lo largo de la costa los pueblos, con sus humildes casas de pescadores y las magníficas "torres"[7] de los veraneantes,[8] añaden vida y color. En el interior el paisaje tampoco[25] es monótono: las montañas lo cruzan en todas direcciones; abundan los ríos, más bien cortos pero desde hace mucho tiempo de aguas muy aprovechadas; no faltan llanos muy bien cultivados.

La región en general es poco a propósito para la agri-[30]

[4] **su vivir**   their way of life
[5] **por su belleza agreste**   for its rugged beauty   [6] **azucenas**   wild lilies
[7] **"torre"** = **casa de recreo con jardín**   summer home
[8] **veraneantes**   summer people

cultura. Aunque el clima es templado en las costas y más
extremado en el interior y en las montañas, en esta región,
igual que en otras de las regiones españolas, llueve poco. Como
abundan las montañas, el terreno no es bueno para el cultivo;
5 sin embargo, los catalanes han convertido esta región en una
de las más productivas de España, famosa por sus magníficas
huertas, sus viñas y sus olivares. Además, como desde hace
años los habitantes aprovechan el agua de los ríos para fuerza[9]
han logrado transformar a Cataluña en la comarca industrial
10 y comercial más rica de España.

Su historia tiene detalles de interés: es una región de
importante tradición ibérica, griega, cartaginesa y romana.
Invadida por los árabes en el siglo VIII, aparece ya en el siglo
IX como condado independiente, y para el siglo XII, cuando
15 se une al reino de Aragón, era Cataluña un condado extenso,
bien organizado y de cierta cultura que sobresalía entre las
culturas de los reinos cristianos.

Típica de Cataluña es su danza la *sardana*, baile tradicional de origen muy antiguo, baile de aire digno y encantador,
20 expresión del alma de este pueblo y muy en armonía con su
paisaje. Hacía ya muchísimos años que se bailaba la sardana
cuando el poeta catalán Juan Maragall la describió resumiendo
en dos versos un sentimiento general:

La sardana és la dansa més bella
de totes les danses que es fan i es desfan[10]

La bailan cuando tienen ganas de bailar: en la playa junto al
25 mar, en las plazas y calles de los pueblos y en las calles y
plazas de las ciudades. Cogidos de la mano[11] formando corro

---

[9] **fuerza**   electric power
[10] (*In Spanish*) La sardana es la danza más   *The sardana is the most*
                   bella de todas las danzas   *beautiful of all circle dances*
                   en corro
[11] **cogidos de la mano**   holding hands

la bailan al son de la "cobla"[12] jóvenes, viejos, niños, solemnes y dignos aunque la música es más bien alegre. Dentro de un corro grande se forman otros más pequeños sin tener que esperar hasta que acabe[13] la danza para empezar a bailar.

Con la sardana es necesario relacionar el Ampurdán, la 5 comarca más rica de la provincia de Gerona. El nombre Ampurdán deriva de *Emporion*, la famosa colonia que los griegos fundaron (siglo VII antes de Cristo) en la costa del Mediterráneo. Es curioso que algunos atribuyan a la sardana[14] origen griego; la comarca sigue siendo rica en aceite y vino, 10 productos que tanto desarrollaron los griegos. Su tercera riqueza es el corcho, una de las industrias más importantes de la comarca y de España. Figueras, la capital del Ampurdán, es famosísima por sus excelentes y pintorescos mercados de los jueves[15] y por la propiedad con que bailan la sardana. 15 Además allí nació el pintor Salvador Dalí.

Conviene recordar que esta región es en parte bilingüe y que se habla catalán además del español. El catalán es una lengua de tradición cultural muy rica: tuvo sus grandes siglos (XIII al XIV) y hace unos cien años que su literatura vuelve 20 a florecer tanto como en aquella época.

VOCABULARIO Y EXPRESIONES

agradable	agreeable, pleasant	**delicado**	delicate
apreciar	to appreciate	el **deporte**	sport
aprovechar	to make use of	**desarrollar**	to develop
la **arena**	sand	**encantador**	charming
el **corcho**	cork	el **extranjero**	foreigner
el **corro**	circle	**fresco**	cool

[12] **"cobla"** *orquesta formada de instrumentos variados*
[13] **hasta que acabe** until it ends
[14] **que algunos atribuyan a la sardana** that they should attribute to the sardana
[15] **mercados de los jueves** Thursday markets

humilde	humble	reflejarse	
intenso	deep		to be mirrored, be reflected
limpio	clean	el refrán	proverb
la nieve	snow	la riqueza	wealth, riches
oloroso	fragrant	el sueño	dream
el pescador	fisherman		

desde hace muchos años for many years

a lo largo de along   rodeado de surrounded by

poco a propósito not very fitting

hace mucho tiempo for a long time

tener ganas de to wish, feel like

I. CONTESTE EN ESPAÑOL:

1. ¿Quiénes son los catalanes?
2. ¿Cómo son los catalanes a juzgar por sus ciudades?
3. ¿Con qué limita Cataluña?
4. ¿Qué flores se encuentran a veces junto al mar?
5. ¿Cómo son los Pirineos catalanes?
6. ¿Cómo es el clima de Cataluña?
7. ¿Es Cataluña una región muy fértil?
8. ¿Qué aprovechan los catalanes desde hace mucho tiempo? ¿Para qué?
9. ¿Hacía mucho tiempo que Cataluña era un condado independiente cuando se unió a Aragón?
10. ¿Dónde está y cómo es la Costa Brava?
11. ¿Qué es la sardana?
12. ¿Cuándo y dónde bailan la sardana?
13. ¿En qué comarca bailan la sardana con más propiedad?
14. ¿Cómo se baila la sardana?
15. ¿Qué escribió Juan Maragall acerca de la sardana?
16. ¿En qué productos es rica la comarca del Ampurdán?
17. ¿Por qué es famosa la ciudad de Figueras?
18. ¿Qué lenguas se hablan en Cataluña?

19. ¿Hubo literatura en Cataluña durante la Edad Media?
20. ¿Qué dice un refrán acerca de los catalanes?

II. COMPLETE LAS FRASES SIGUIENTES:

1. Cataluña es una región de tradición cultural _____.
2. Los catalanes son _____ los deportes.
3. La historia presenta a los catalanes _____.
4. El agua que baña la Costa Brava es _____.
5. Los ríos son _____ pero de aguas _____.
6. Cataluña fué invadida por los _____.
7. Los árabes la invadieron en _____.
8. Añaden vida y color a la costa _____ y _____.
9. La música de la sardana es _____.
10. En el siglo XII el condado independiente de Cataluña _____.

III. COMPOSICIÓN ORAL:

1. Cataluña, paraíso de los aficionados al paisaje y a los deportes.

CATALUÑA (II)

"BARCELONA . . . EN SITIO Y BELLEZA ÚNICA"[1]

L AS palabras que sirven de título a este capítulo son parte de
un párrafo que Cervantes le dedicó a la ciudad de Barcelona. La llamó también "flor de las bellas ciudades del
mundo, honra de España . . .", "archivo[2] de cortesía." Y más.
La ciudad está situada en un llano, de cara al mar, regada por 5
el río Besós al norte y por el Llobregat al sur, y protegida por
la cordillera del Tibidabo en el oeste. Por su situación la
ciudad merece las palabras que le dedicó Cervantes. Sus habitantes, convencidos de que la ciudad es única en tanta belleza,
explican la palabra "Tibidabo" (ésta es la montaña más alta 10
cerca de la ciudad) asegurando que allí fué donde el Diablo,
después de mostrar a Cristo los reinos del mundo le dijo:
"Todas estas cosas te daré (*tibi dabo*) si postrándote delante
de mí me adorares."[3] ¡Barcelona no es, claro, la única ciudad
que se cree merecer la leyenda!   15
Barcelona es ciudad antigua y moderna. Interesan espe-

[1] "Barcelona . . . unique in location and beauty"
[2] **archivo** archive
[3] "All these things will I give Thee if Thou wilt fall down and worship me"

cialmente sus murallas romanas y sus magníficos edificios de
la Edad Media; sorprende y admira cierto estilo de arquitectura suya por nuevo e inesperado. Tiene calles estrechas,
hermosas y anchas avenidas como las Ramblas, famosas por
5 sus pintorescos mercados de flores y de pájaros. Caracteriza la
ciudad su gran actividad: es el puerto más importante de
España y uno de los más importantes del Mediterráneo. Fué
puerto muy importante también en la Edad Media. Se conserva parte del antiguo astillero[4] (siglo XIV), el más bello que
10 existe de esa época. Es ciudad de jardines y parques. Entre
éstos sobresale el parque de Montjuich por su belleza y por
estar allí el Pueblo Español, pueblecito construido para la Exposición Internacional de 1929. Sus edificios son copia[5] de otros
notables en diversas regiones españolas. También en el parque
15 de la Exposición está el Museo de Arte Antiguo. Su colección
de pinturas románicas[6] es la más importante y numerosa del
mundo. En la catedral gótica se venera el famoso *Cristo de
Lepanto*.[7] Sorprende ver colgar del extremo inferior del
órgano de la catedral una enorme cabeza de larga barba. Es la
20 cabeza de un moro, símbolo según la tradición, del triunfo
del cristianismo sobre el Islam.[8] Es también curioso ver en el
jardín del claustro unas típicas ocas[9] que desde hace mucho
tiempo viven allí y son admiradas de todos los visitantes,
especialmente de los niños. Aunque estas ocas siempre tienen
25 hambre y sed nunca parecen tener frío.

Esta ciudad, tan conocida por su industria y su comercio,
tiene su Liceo (ópera) y su Palacio de la Música. Fué un
músico[10] de Barcelona quien organizó en España las sociedades
corales.

---

[4] **astillero** shipyards   [5] **copia** replica   [6] **románicas** Romanesque
[7] **Cristo de Lepanto** *Imagen de Cristo que acompañó a los españoles y a sus aliados en la expedición (1571) contra los turcos*
[8] **el Islam** religión de Mahoma   [9] **ocas** geese
[10] José Anselmo Clavé (1824-1874)

Así como en Aragón existen bellos monumentos de arte mudéjar, Cataluña posee verdaderas joyas del arte románico. Cerca de Barcelona está el muy visitado monasterio de San Cugat del Vallés. Hay allí uno de los claustros románicos (siglo XII) más bellos de Cataluña. 5

Desde Barcelona se ve, bastante a lo lejos,[11] Montserrat, la montaña sagrada de los catalanes, famosa desde hace siglos por su Monasterio y por la Virgen que veneran en él. Miles de personas vienen todos los años a adorar a la imagen, obra de San Lucas, según creen. En la escuela de música[12] de este 10 monasterio se educa a los monaguillos que cantan diariamente las alabanzas a la Virgen.

Al sur de Barcelona, en la costa del Mediterráneo, hay una de las ciudades más interesantes de España, Tarragona, situada en un llano bello y fértil que produce vinos de los 15 mejores de España. El intenso azul del mar contrasta con el color de oro de sus muchos monumentos romanos. Entre éstos destacan las murallas,[13] un acueducto y un arco triunfal. Su joya es la catedral, de exquisita fachada gótica. Los capiteles[14] de sus claustros son de una variedad y originalidad sorpren- 20 dentes. En uno de ellos se representa una comitiva de ratones que llevan a enterrar a un gato, ¡pero éste tiene la suerte de romper las cuerdas que le atan y matar a los ratones!

Un lugar de interés especial de la provincia de Lérida es el pueblo de Cogul por haber muy cerca unas rocas que 25 sirvieron de casa al hombre primitivo. En estas rocas se distinguen todavía unas pinturas de aquella época que representan figuras de mujeres que parecen bailar (¡bailarán la

---

[11] *A unas treinta millas de Barcelona*
[12] *Este monasterio tiene una de las escuelas de música más antiguas de Europa*
[13] *Están construidas sobre las murallas ciclópeas prerromanas*
[14] **capiteles**   capitals of a column or pilaster

sardana?) alrededor de un hombre caído. Están pintadas en negro; los pocos animales que aparecen están en rojo.

Es sorprendente el número de músicos y de pintores contemporáneos españoles conocidos en los Estados Unidos 5 que nacieron en Cataluña. De los músicos se conoce bien a Isaac Albéniz (1860-1909), Enrique Granados (1868-1916) y Pablo Casals (1876-   ). De los pintores se recuerda a José María Sert (1876-1945), Joan Miró (1893-   ) y Salvador Dalí (1904-   ). De la literatura no se puede afirmar lo mismo, 10 quizás porque hay mucho que no está traducido al castellano. El gran poeta catalán es Jacinto Verdaguer (1845-1902), autor del poema épico *La Atlántida*.[15] Verdaguer fué también delicado poeta lírico. En versos sencillos expresó muy bien el profundo amor de los catalanes a su región. Así canta en 15 catalán un emigrante que echa de menos su tierra y recordándola de lejos dice:

> Dolça Cataluña
> patria del meu cor,
> quan de tu s'allunya
> d'enyorança es mor.[16]

VOCABULARIO Y EXPRESIONES

asegurar	to assure	curioso	curious, strange
la barba	beard	dedicar	to dedicate
la avenida	avenue	educar	to educate
colgar (ue)	to hang	el gato	cat
convencer	to convince	el hambre (f.)	appetite, hunger
la cuerda	rope	la honra	honor

[15] En "*La Atlántida*" de *Verdaguer se inspiró el músico y compositor andaluz Manuel de Falla para su composición musical del mismo título*
[16] (*In Spanish*) Dulce Cataluña,   *Sweet Catalonia,*
        patria amada,   *my beloved country,*
        el alejarse de ti   *when one is far away from you*
        es morirse de añoranza   *one dies of homesickness*

la joya	jewel	la sed	thirst
el órgano	organ	el sentimiento	feeling
el pájaro	bird	la situación	location
el ratón	mouse	el verso	verse

servir de   to act as, serve as   **de cara al mar**   facing the sea

claro   of course

tener hambre (sed, frío, suerte)   to be hungry (thirsty, cold, lucky)

a lo lejos   in the distance   **todos los años**   every year

echar de menos   to miss

I. CONTESTE EN ESPAÑOL:

1. ¿Cómo describió Cervantes a Barcelona?
2. ¿Dónde está situada la ciudad de Barcelona?
3. ¿Qué es el Tibibado?
4. ¿Cómo explican los habitantes de Barcelona esta palabra?
5. ¿Cómo son los edificios de Barcelona?
6. ¿Qué es el Pueblo Español?
7. ¿Por qué es interesante el Museo de Arte Antiguo?
8. ¿Qué hay colgado debajo del órgano de la catedral de Barcelona?
9. ¿Qué parecen tener las ocas del claustro de la catedral?
10. ¿Por qué se visita el monasterio de San Cugat del Vallés?
11. ¿Cuál es la montaña sagrada de Cataluña?
12. ¿Dónde se educa a los monaguillos que cantan a la Virgen de Montserrat?
13. ¿Por qué es Tarragona una de las ciudades más interesantes de España?
14. ¿Qué hay muy curioso en el claustro de la catedral de Tarragona?
15. ¿Qué se distingue todavía en unas rocas muy cerca de Cogul? ¿Qué otro lugar en el norte de España es también importante por esto?
16. ¿Conoce Vd. la obra de alguno de los músicos **españoles** contemporáneos nacidos en Cataluña?

17. ¿Quién fué Jacinto Verdaguer?
18. ¿A qué otro español célebre le ha interesado el tema de la Atlántida?
19. ¿Qué sienten las personas que viven lejos de su país?

II. DE LAS PALABRAS ENTRE PARÉNTESIS ESCOJA LAS QUE COMPLETAN LA FRASE:

1. En Cataluña se baila _____ (la jota, la sardana, la muñeira).
2. Barcelona sorprende y admira por su _____ (arte mudéjar, las mezquitas árabes, una arquitectura nueva e inesperada).
3. Barcelona está situada entre dos ríos _____ (el Duero y el Ebro, el Tajo y el Guadalquivir, el Llobregat y el Besós).
4. Cervantes dijo que Barcelona era _____ ("Archivo de cortesía," "muy noble y muy heroica," "tierra de guerreros y santos").
5. El astillero más bello que existe del siglo XIV está en _____ (Bilbao, Vigo, Barcelona).
6. Las Ramblas son famosas por _____ (sus claustros románicos, por sus típicas ocas, por los mercados de flores y pájaros).
7. Un músico y compositor muy famoso es _____ (Juan Maragall, Juan Pablo Bonet, Pablo Casals).
8. El autor del poema épico *La Atlántida* fué _____ (Santa Teresa de Jesús, la condesa de Pardo Bazán, Jacinto Verdaguer).

III. TEMAS DE COMPOSICIÓN ORAL:

1. El Tibidabo.
2. La catedral de Barcelona.
3. Las calles de Barcelona.
4. La catedral de Tarragona.

CAPÍTULO X *Patria Chica*

NAVARRA

"SI QUIERE TRONAR, QUE TRUENE"[1]

L<small>AS</small> aldeas y los pueblos de Navarra[2] están esparcidos por las verdes faldas de los Pirineos. Sorprende ver escudos de

[1] **"Si quiere tronar, que truene"** *es un verso de una copla que sigue más abajo en el texto. Una traducción libre sería:*

> With my blanket worn the **Navarra** way
> and a dollar in my pocket
> if it wants to thunder, let it,
> if it wants to rain, let it rain.

[2] *Navarra consiste en una sóla provincia*

nobleza sobre los portales de muchas casas de estos pueblos.
Esto se remonta a la época en que Navarra fué un reino que
se extendía a uno y otro lado de los Pirineos y se componía de
la Navarra actual y la Navarra Baja situada ahora en territorio
5 francés. La Navarra española se extiende desde los Pirineos al
río Ebro en el sur; al oeste limita con las Vascongadas y
Castilla la Vieja, y en el este con Aragón. Montañas y rocas
ocupan tres cuartas partes del territorio, pero la parte meridional, la gran llanura cerca del Ebro, llamada la Ribera, da
10 magníficas cosechas.

Los navarros pertenecen a la raza eúscara,[3] como los
vascos. Siguen muchas costumbres de sus antepasados[4] y son
muy tradicionalistas, pero la antigua lengua, el vascuence, sólo
se habla en partes aisladas al norte de la capital, Pamplona.
15 Son de estatura mediana, robustos y de color más claro que
sus vecinos del sur; tienen fama de ser corteses, sinceros e
independientes. Esta actitud de independencia se muestra en
la siguiente copla:

> "Con mi manta a lo navarro
> y un duro en la faltriquera
> si quiere tronar, que truene
> si quiere llover, que llueva."

Toda la historia de esta región ha sido una resistencia
20 continua contra los esfuerzos de sus enemigos para conquis-
tarla, y aunque en algún tiempo perteneció Navarra a la
corona de Francia, los navarros no han sido nunca verdaderos
vasallos de nadie. Durante años tuvieron sus propios fueros,[5]
sus propias leyes y su propia moneda. En 1515 Fernando el
25 Católico unió Navarra a la nación española.

Un acontecimiento memorable en la historia de esta
región fué la famosa Batalla de Roncesvalles, en el año 778.

---

[3] eúscara Basque   [4] antepasados ancestors
[5] fueros special privileges or exemptions granted by the kings

Hay casi tantas versiones del hecho histórico como las hay de las leyendas que surgieron después. Una versión cuenta que el año anterior Carlomagno, rey de los francos, fué llamado por el gobernador árabe de Zaragoza para ayudarle en su lucha contra su señor, Abderramán I, de cuya autoridad quería 5 deshacerse. Carlomagno cruzó los Pirineos pero, al llegar a Zaragoza, se encontró con que le cerraron las puertas de la ciudad. Después, como había recibido noticias de una rebelión en Francia, emprendió el regreso a su país. A su paso por Pamplona saqueó[6] y destruyó esa ciudad fortificada. Los 10 navarros y sus vecinos juraron vengarse y al pasar Carlomagno por el paso de Roncesvalles le atacaron y le vencieron. De esta batalla surge el principal asunto de la poesía épica francesa de los tiempos medievales, *La Chanson de Roland*.[7] Según una de las leyendas que describen la muerte de Roldán 15 (nombre español de Roland), una parte del ejército de Carlomagno bajo el mando de Roldán se separó del resto, fué rodeada y atacada. Roldán era tan orgulloso que no quería tocar su magnífico cuerno de marfil,[8] llamado *olifan*, para llamar a Carlomagno y sus soldados. Al fin, cuando se dió 20 cuenta de la crítica situación en que estaba, tocó el cuerno con tanta fuerza que murió del esfuerzo. Desde entonces Roldán simboliza el valor y el honor. Las versiones de esta hazaña llegaron a ser muy populares gracias a los peregrinos franceses que hacían el viaje a Santiago de Compostela. Hay parte 25 de una española, imitación de la francesa, el *Cantar de Roncesvalles* (hacia 1220).

Hoy día Pamplona, ciudad de unos 75.000 habitantes, es una ciudad pintoresca, de calles estrechas, situada en lo alto de una pequeña meseta. Es muy conocida por la fiesta en honor 30 de su Santo Patrón, San Fermín. Ésta se celebra todos los años

[6] **saqueó** sacked   [7] *La Chanson de Roland* The Ballad of Roland
[8] **cuerno de marfil** ivory horn

la segunda semana de julio. Durante esta semana tiene lugar
el famoso Encierro.[9] En esta ocasión se sueltan unos novillos[10]
por ciertas calles de Pamplona y los jóvenes lucen su habilidad
de torero, a veces con resultados poco felices. Se sabe que el
5 Gobierno ha tratado varias veces de suprimir esa parte de la
fiesta, pero los independientes navarros protestan tanto que
no se ha suprimido. Sin duda se oirá cantar muchas veces
esta copla:

> Levántate, pamplonica,
> y da de tu cama un brinco,
> mira que ya son las cinco
> y el encierro es a las seis.[11]

En un pueblo navarro, en que soltaban vacas y no toros,
10 el alcalde, queriendo también suprimir esa parte de la fiesta,
salió al balcón del Ayuntamiento[12] a notificarlo al público.
Empezó su discurso con estas palabras:

—Vecinos y amigos, oíd. . . . Pero el público, que sabía
de lo que iba a hablarles, empezó a cantar en coro: —¡Vacas!
15 ¡vacas! . . .—

Volvió a hablar el alcalde: —Amigos, escuchad. . . .
—¡Vacas! ¡vacas! . . .—volvió a cantar el público.

Y . . . todavía hay "vacas."

Pamplona está orgullosa, y con razón, de uno de sus
20 hijos más famosos, el violinista y compositor[13] Pablo Martín
Sarasate (1844-1908), considerado uno de los grandes vio-
linistas de todos los tiempos. Sarasate amaba mucho a su

[9] **Encierro** "running of the bulls," *so called because they run through
certain closed off streets*   [10] **novillos** young bulls
[11] *Free translation:*

> Get up, you young girl of Pamplona,
> Jump out of bed,
> For it's five o'clock already
> And the "running" is at six.

[12] **Ayuntamiento** Town Hall   [13] **compositor** composer

pueblo natal y todos los años, sin excepción, volvía a Pamplona
a dar un concierto durante la fiesta de San Fermín.

VOCABULARIO Y EXPRESIONES

el **acontecimiento**	event	**orgulloso**	proud
la **actitud**	attitude	la **raza**	race
el **asunto**	subject, topic	el **resultado**	result
la **autoridad**	authority	**sincero**	sincere
el **ejército**	army	**soltar (ue)**	to loose, let loose
la **falda**	slope, skirt	**suprimir**	
el **hecho**	fact, deed		to do away with, suppress
independiente	independent	**surgir**	to arise
la **ley**	law	el **toro**	bull
la **lucha**	fight	**tronar (ue)**	to thunder
la **llanura**	plain	la **vaca**	cow
la **manta**	blanket	el **vecino**	neighbor
la **noticia**	piece of news		

pertenecer a   to belong to

tener fama de   to have the reputation of

en algún tiempo   at one time   **deshacerse de**   to get rid of

encontrarse (ue) con   to find, meet   **darse cuenta de**   to realize

llegar a ser   to become

I. CONTESTE EN ESPAÑOL:

1. ¿Por qué hay tantos escudos de nobleza en los portales de
   muchas casas de los pueblos navarros?
2. ¿Hasta dónde se extendió Navarra?
3. ¿Por dónde se extiende la Navarra actual?
4. ¿Cómo es el territorio?
5. ¿A qué raza pertenecen los navarros?
6. ¿Se habla vascuence en toda la región?
7. ¿Cuál es la característica de los navarros que se muestra en
   la copla?
8. ¿Cómo ha sido la historia de Navarra?

9. ¿Quién unió Navarra a la nación española?
10. ¿En qué año tuvo lugar la batalla de Roncesvalles?
11. ¿Qué famoso rey de los francos entró en España? ¿Por qué?
12. ¿Qué le pasó a una parte del ejército de Carlomagno?
13. ¿Por qué no quería llamar Roldán a Carlomagno?
14. ¿Cómo murió Roldán?
15. ¿Qué simboliza Roldán desde entonces?
16. ¿Cómo llegaron a ser populares las muchas versiones de esta hazaña?
17. ¿Qué tiene lugar en Pamplona la segunda semana de julio?
18. ¿Por qué no se ha suprimido el Encierro?
19. ¿Quién fué Pablo Martín Sarasate?
20. ¿Cómo mostraba Sarasate su amor a su pueblo natal?

II. DE LAS PALABRAS ENTRE PARÉNTESIS ESCOJA LAS QUE COMPLETAN LA FRASE:

1. La Ribera _____ (está en la Navarra francesa, no tiene río, da magníficas cosechas, está en la montaña).
2. Los navarros _____ (han sido vasallos de otros pueblos, han resistido los esfuerzos de sus enemigos para conquistarlos, hablan vascuence siempre, son muy altos).
3. Navarra _____ (no tiene rocas, no fué nunca reino, está en el sur de España, perteneció una vez a la corona de Francia).
4. Pamplona _____ (es la capital de Navarra, es una aldea muy pequeña, nunca tiene fiestas, no tiene Santo Patrón).
5. El principal asunto de la poesía épica francesa es _____ (el Encierro, Santiago de Compostela, Roldán, Abderramán I).
6. En la fiesta de San Fermín los jóvenes _____ (dan discursos al público, lucen su habilidad de torero, son poco felices, no asisten al Encierro).
7. El alcalde de un pueblo navarro _____ (soltó unos novillos por las calles, empezó a cantar, era un gran violinista, salió al balcón a hablar al público).

8. La gente navarra pertenece a la raza eúscara _____ (como los franceses, los gallegos, los asturianos, los vascos).

9. El río que corre por Navarra es _____ (el Guadiana, el Tajo, el Ebro, el Guadalquivir).

10. Las montañas que limitan a Navarra en el nordeste son _____ (los Alpes, la Sierra Nevada, los Pirineos, los Montes Cantábricos).

III. RESUMA[1] LOS ACONTECIMIENTOS DE LA BATALLA DE RONCESVALLES.

[1] Tell briefly

VALENCIA

"JARDÍN DE ESPAÑA"

AL ESTE de la Península Ibérica, en la costa del Mar Mediterráneo, está "el jardín de España," nombre que recibe el territorio formado por las provincias de Castellón de la Plana, Valencia y Alicante. Su parte fértil y rica es la comarca llana cerca de la costa, en especial la huerta, tierra muy regada 5 y aprovechada. La región es rica en naranjas y limones, arroz, cebollas, cereales, almendras, dátiles,[1] uvas y aceite. Esta fertilidad y abundancia es debida, en gran parte, a que los campesinos usan para regar un sistema de canales llamados acequias, heredado de los árabes. La región ha sido igualmente 10 rica en poetas, pintores, músicos y novelistas que han retratado[2] a su región o patria chica en sus obras, presentándola como es: inundada de sol, abundante de luz y color, de un cielo intensamente azul y sin nubes la mayor parte del año. Sus habitantes son trabajadores y amantes de su región, alegres, inteligentes, 15 apasionados y de gran sensibilidad y habilidad artísticas.

Estas provincias recibieron la influencia de los griegos, fueron dominadas e influidas por los cartagineses, romanos y visigodos. La influencia árabe es muy evidente aquí porque los

[1] **almendras, dátiles**   almonds, dates
[2] **retratado**   pictured, portrayed, described

árabes permanecieron más siglos en esta región. El Cid conquistó Valencia a los árabes en 1094 y en 1238 Jaime I *el Conquistador*, rey de Aragón y Cataluña, la reconquistó definitivamente pasando Valencia a formar parte del territorio aragonés
5 —catalán—valenciano, o reino de Aragón. La región es en
parte bilingüe pues hablan también el valenciano, dialecto
derivado del catalán y muy influido del castellano.

La ciudad de Valencia es bella, interesante, rica e industrial. Por su población de más de medio millón de habitantes
10 es la tercera de España. Su situación es excelente en medio de
la huerta valenciana, regada por el río Turia, y agrícolamente[3]
la comarca más rica de España.[4] Las palabras "Valencia" y
"huerta" son inseparables, se completan. Hace ya siglos,
cuando el Cid quiere que su esposa y sus hijas contemplen la
15 conquista que acaba de realizar hace que suban al "más alto
lugar" y desde allí miren la huerta "espesa[5] y grande,"
palabras que caracterizan todavía la huerta de ahora. Completa la visión de esta huerta que rodea la ciudad la descripción
que hace el valenciano Blasco Ibáñez (1867-1928) en su
20 novela *La barraca* con su pintura de las típicas barracas o
casitas blancas con su techo de paja y su cruz, el pozo a un
lado, flores en todas partes, el emparrado, palmeras[6] y otros
árboles que le dan sombra.

El nombre de la ciudad, *Valencia del Cid*, explica y
25 relaciona su pasado con su presente. Entre los edificios no
religiosos de la ciudad sobresale la Lonja de la Seda,[7] siglo
XIV, del gótico más bello. Es curiosa la inscripción, en las
paredes del salón de cambio, que le aconseja al comerciante
que sea justo, y le promete, además de riquezas, la vida eterna.

---

[3] **agrícolamente** agriculturally
[4] *Se cultivan hasta cuatro cosechas al año*
[5] **espesa** luxuriant   [6] **emparrado, palmeras** vine arbor, palm trees
[7] **la Lonja de la Seda** Silk Exchange. (*La región valenciana es rica en
  moreras y gusanos de seda* (white mulberry trees and silk worms) *y es
  importante en la industria de la seda*)

De su catedral (XIII-XVIII) la Puerta de los Apóstoles tiene
un interés único. Hace unos seis siglos que se repite aquí un
acto que tiene lugar únicamente en este sitio. Todos los jueves
a mediodía se reúnen en esta puerta los siete jueces que forman
el *Tribunal de las Aguas*. Son campesinos elegidos por los 5
habitantes de la huerta para resolver los conflictos que surgen
durante la semana por la distribución y aprovechamiento del
agua de las acequias. Es extraordinario que todo se haga de
palabra y en el acto. La costumbre obliga a los interesados a
aceptar la decisión de los jueces, sin poder apelar.   10

Otra costumbre también antigua que todos los años atrae
mucha gente a Valencia son *Las fallas de San José*. La noche
del 18 al 19 de marzo se queman en las calles y en las plazas
enormes figuras de aspecto artístico, o ridículo o gracioso que,
a veces, se relacionan con hechos de la vida de la región o de 15
la nación. Cada calle quiere superar a las otras y ganar un
premio. Son días alegres, de mucho ruido y animación.

En invierno españoles y extranjeros acuden a la ciudad
de Alicante a gozar de su clima ideal, de su sol y de su mar,
de sus palmeras y de sus flores. En esta ciudad fabrican el 20
exquisito turrón[8] de Alicante, preparado con almendras de la
región. Si hay turrón mejor que el de Alicante, será el delicioso
turrón de Jijona, de almendras y miel. ¡Qué casualidad que
las dos ciudades estén en la misma provincia!

Elche es otra ciudad cerca de la costa, rodeada de miles 25
de palmeras altas y grandes, que crecen gracias al agua de las
antiguas acequias que las riega. La mayor parte de los dátiles
que se comen en España son de estas palmeras. Las palmas se
bendicen y se venden por España para el Domingo de Ramos.[9]
Cerca de esta ciudad se encontró en 1897 la *Dama de Elche*, 30
el busto de una mujer ibérica que se admira en el Museo del
Prado. ¡Qué famosa es Elche!

[8] **turrón**   a sort of nougat, almond paste
[9] **Domingo de Ramos**   Palm Sunday

En la región valenciana han nacido célebres españoles. De los contemporáneos, además de Blasco Ibáñez hay otros dos escritores enamorados de la luz, el color y el ambiente[10] valencianos: Gabriel Miró (1879-1930) y *Azorín* 5 (1873-   ).[11] Pocos pintores han presentado tan completamente con sus cuadros la variedad tan grande de tipos, trajes y paisajes que existe en España como Joaquín Sorolla (1863-1923). El Museo de la Sociedad Hispánica de Nueva York merece una visita para conocer los cuadros de Sorolla que se 10 encuentran allí.

VOCABULARIO Y EXPRESIONES

aconsejar	to advise	la nube	cloud
el arroz	rice	obligar	to oblige
el campesino	farmer, peasant	la paja	straw
la cebolla	onion	quemar	to burn
el comerciante	merchant	realizar	to accomplish
crecer	to grow	resolver (ue)	to solve
delicioso	delicious	la seda	silk
fabricar	to manufacture, make	la sombra	shade
el juez	judge	el techo	roof, ceiling
justo	just	la tierra	land, earth
el limón	lemon		

al año   yearly   la mayor parte de   most

formar parte de   to be a part of   acabar de   to have just

a mediodía   at noon   enamorado de   in love with

I. PREGUNTAS:

1. ¿A qué parte de la Península se llama el "jardín de España?"
2. ¿Qué es la huerta?
3. ¿Qué crece en la huerta?
4. ¿A qué se deben, en parte, su fertilidad y su abundancia?
5. ¿Qué aspecto presenta esta parte de España? ¿Cómo son sus habitantes?

[10] ambiente   atmosphere
[11] "Azorín" *es seudónimo. Se llama José Martínez Ruiz*

6. ¿Qué grandes guerreros conquistaron la ciudad de Valencia?
7. ¿Qué lugar ocupa Valencia entre las ciudades de España?
8. ¿Cómo son las barracas?
9. ¿Qué edificio sobresale entre los de Valencia?
10. ¿Qué aconseja al comerciante la inscripción que aparece en las paredes de la Lonja?
11. ¿Qué le promete?
12. ¿Qué pasa todos los jueves en la Puerta de los Apóstoles de la catedral de Valencia?
13. ¿Quiénes forman el tribunal?
14. ¿Qué tiene de particular el Tribunal de las Aguas?
15. ¿Qué queman en las calles de Valencia la noche del 18 al 19 de marzo?
16. ¿Por qué pasan muchos el invierno en Alicante?
17. ¿Qué ciudades son famosas por su turrón? ¿Con qué lo hacen?
18. ¿En qué consiste la riqueza de Elche?
19. ¿Quién fué Blasco Ibáñez?
20. ¿Qué hay en el Museo de la Sociedad Hispánica de Nueva York?

II. DE LA COLUMNA *B* ESCOJA UNA PALABRA QUE SE RELACIONE CON OTRA DE *A*:

A	B
Domingo de Ramos	gótico
la huerta	palmas
acequia	turrón
las Fallas de San José	cuatro cosechas
Alicante	Sorolla
almendras y miel	1897
miles de palmeras	árabes
La *Dama de Elche*	clima ideal
tipos, trajes, paisaje	premio
la Lonja	Elche

III. EN CADA CASO EXPLIQUE BREVEMENTE EN QUÉ CONSISTE LA RELACIÓN ENTRE LAS PALABRAS DE *A* Y *B* DEL EJERCICIO ANTERIOR.

CAPÍTULO XII   *Patria Chica*

ANDALUCÍA (I)

"EL ANDALUZ SIEMPRE ESTÁ DE VUELTA DE TODO"[1]

Los españoles del norte son por regla general gente fuerte y de temperamento más bien reservado. En Andalucía,[2] debido a la herencia racial y cultural y al clima, se encuentra un tipo más apasionado. El andaluz es un individuo que pretende no sorprenderse de nada. Siempre "está de vuelta [5] de todo." Se cuenta que un día un andaluz servía de guía a un turista americano de los que les gusta hablar de las maravillas de la vida americana. Contó el americano que en ciertos restaurantes de su país se mete una moneda de diez centavos[3] en una ranura[4] . . . y sale un pedazo de *pie*. Al parecer el [10] andaluz no quedó muy impresionado[5] y el americano continuó su cuento; en otra tienda un hombre mete un billete de cincuenta dólares . . . y sale un traje hecho a la medida.[6] En ese

---

[1] "El andaluz siempre está de vuelta de todo."   The Andulusian always "knows the answer." *Literally the sentence means* [he] "is always just back from everywhere"

[2] *Andalucía tiene ocho provincias:* Almería, Cádiz, Córdoba, Granada, Huelva, Jaén, Málaga y Sevilla

[3] centavos   American cents   [4] ranura   slot

[5] no quedó muy impresionado   wasn't very much impressed

[6] traje hecho a la medida   tailor-made suit

momento pasaban por uno de los edificios del Gobierno delante del cual había una caseta de centinela.[7] El andaluz se dirigió al americano y le dijo: "Todo eso es muy interesante, pero, mire Vd., si yo echo una piedra contra esa caseta de centinela
5 ... ¡sale un hombre vivo!"

Andalucía, la región de más extensión territorial, ocupa la sexta parte del territorio de la España peninsular y abarca toda la España meridional. Tiene una gran variedad de montañas que la cruzan en varias direcciones, algunas cubiertas de
10 verdes bosques, otras de perpetua nieve y otras sin vegetación. En el norte está la Sierra Morena y en el sur la Sierra Nevada con el pico más alto de la España peninsular, el Mulhacén. Entre las dos Sierras se extiende el valle del río Guadalquivir. Aunque los valles reciben un sol casi africano, los vientos del
15 mar cambian el clima que en algunas partes es semitropical y en otras templado. En Andalucía hay de todo: tierras sin vegetación alternan con tierras fértiles. Por todas partes hay olivos, vides, naranjos, limoneros, higueras y granados.[8] Hay excelentes pastos y aquí se crían, entre otros animales, ex-
20 celentes caballos y toros de lidia.[9] Hay minas de plata, cobre, hierro, plomo y mercurio. Tal vez sea por esa abundancia[10] que el famoso poeta griego, Homero, la llamó "Los Campos Elíseos," es decir, una especie de paraíso terrenal.

Antiguos pueblos conquistadores colonizaron esta región,
25 que se conoce con el nombre de Andalucía desde muy antiguo. Los fenicios fundaron tres ciudades muy importantes, Cádiz, Córdoba y Málaga, pero fueron los árabes los que desarro-

[7] **caseta de centinela**   sentry's box. **Caseta** *also is a small, simply built house or booth for a fair or the beach.*

[8] **olivos, vides, naranjos, limoneros, higueras y granados**   olive trees, grape vines, orange, lemon, fig and pomegranate trees. *The fruit of the pomegranate,* **la granada,** *gave its name to the city of Granada*

[9] **lidia**   bullfight

[10] **Tal vez sea por esa abundancia**   Perhaps it is because of that abundance

llaron una civilización muy superior a todas las otras de su
época. Por fin, en 1492, los árabes fueron expulsados por los
Reyes Católicos de Granada, su última capital. El último
palacio donde vivieron, la Alhambra, situado en lo alto de una
colina[11] a cuyos pies corre el río Darro, ofrece en su exterior el 5
aspecto de fortaleza de muros sin adorno pero en el interior
tiene el encanto de un palacio de las *Mil y una noches.* En
las paredes brillan los azulejos, y los techos parecen de encaje
hecho de estuco.[12] Pero son los patios que encantan aún más,
como el muy famoso Patio de los Leones, con sus fuentes y 10
sus macetas.[13] Desde la Alhambra se abarca un panorama de
gran belleza, sobre todo en las noches de verano, cuando el
cielo parece de terciopelo negro salpicado de[14] estrellas y las
lucecitas de la inmensa vega[15] parecen reflejos de las estrellas.

Córdoba es otra de las encantadoras ciudades andaluzas. 15
Durante los siglos IX, X y XI era gran centro de las culturas
árabe y hebrea[16] y una de las ciudades más ricas e importantes
de Europa. Una de las glorias de Córdoba es la Mezquita, la
más grande del mundo después de la de la Meca. Fué la
primera que los árabes empezaron a construir en España en el 20
siglo VIII. Tenía diecinueve naves y mil doscientas columnas.
En la actualidad quedan sólo ochocientas cincuenta. Estas
columnas forman como un bosque de palmeras y los árabes,
al oír el murmullo[17] de las fuentes del jardín, creían estar en
un oasis con las dos cosas que más le agradan al árabe del 25
desierto: la sombra de las palmeras y el agua para apagar la
sed del viajero. Son encantadoras las tortuosas calles cordo-
besas que, con sus pintorescos faroles y rejas, desembocan en
una plazoleta.

[11] **una colina**   a hill
[12] **encaje hecho de estuco**   lace made of stucco
[13] **macetas**   flower pots   [14] **salpicado de**   sprinkled with
[15] **vega**   cultivated plain   [16] **hebrea**   Hebrew   [17] **murmullo**   murmur

Sevilla es la capital de Andalucía. Aunque no está en la costa del Atlántico, el río Guadalquivir y un ancho canal sirven para convertirla en puerto de importancia. Su catedral es la más grande de España y una de las más grandes del 5 mundo. Cuentan que los que la construyeron pensaron hacerla tan grande que las generaciones venideras al admirarla los creyeran[18] locos. En realidad, sus dimensiones son tales que no dejan de impresionar. La catedral ocupa el lugar de una antigua Mezquita de la que quedan sólo dos partes: la magnífica 10 torre llamada la Giralda y el Patio de los Naranjos. En ciertos días del año tiene lugar ante el altar mayor una ceremonia que viene del siglo III: el baile de "los seises." Unos diez muchachos (antes eran seis), vestidos con traje antiguo de seda azul y blanca, bailan, cantan y tocan las castañuelas[19] con 15 gran dignidad y gracia. Al lado de la catedral está el Alcázar del siglo XIV, de estilo mudéjar, conocido también por sus extensos y bellos jardines de fama mundial. Los que han visto la ópera *Carmen* recordarán que algunas de sus escenas tienen lugar en la fábrica de tabaco de Sevilla. Se considera a Sevilla, 20 "La perla andaluza," una de las ciudades de más personalidad del mundo, no sólo a causa de los magníficos edificios sino aún más a causa del ambiente general, ambiente de alegría y de vida. Los sevillanos dicen que

> Quien no ha visto a Sevilla
> no ha visto maravilla.

y los granadinos contestan a esta copla de una manera muy 25 positiva:

> Quien no ha visto a Granada
> no ha visto nada.

---

[18] **creyeran**   would think
[19] **castañuelas**   castanets, *named from the wood of the chestnut tree* (**castaño**) *of which they are often made*

VOCABULARIO Y EXPRESIONES

apasionado	emotional	el **pedazo**	piece
el **azulejo**	glazed tile	el **pico**	peak
el **billete**	bill (money)	**recordar (ue)**	
el **desierto**	desert		to recall, remember
el **encanto**	charm, enchantment	la **reja**	
la **fortaleza**	fortress		iron grating used at windows
el **guía**	guide	**reservado**	reserved
el **hierro**	iron	el **restaurante**	restaurant
la **maravilla**	marvel, wonder	**salir (de)**	to come out
meter	to put in	la **tienda**	store
la **mezquita**	mosque	el **traje**	suit
la **moneda**	coin, money	el **viento**	wind
el **patio**	courtyard		

servir (i) de to serve as, act as   **al parecer** apparently

dirigirse a to turn to, address   **en lo alto de** on the top of

apagar la sed to quench one's thirst

no dejar de to never fail to

I. CONTESTE EN ESPAÑOL:

1. ¿Qué diferencia hay entre los españoles del norte y los del sur?

2. ¿Qué quiere decir "El andaluz siempre está de vuelta de todo?"

3. ¿De qué le gustaba hablar al turista americano?

4. ¿Qué pasa en ciertos restaurantes americanos?

5. ¿Quedó muy impresionado el guía andaluz?

6. ¿Qué sale de la caseta si el andaluz tira una piedra?

7. ¿Qué parte del territorio de la España peninsular ocupa Andalucía?

8. ¿Cómo se llama el pico más alto de la España peninsular?

9. ¿Cuáles son las dos sierras de Andalucía? ¿Qué río corre entre ellas?

10. ¿Por qué llamó Homero a Andalucía "Los Campos Elíseos?"
11. ¿Qué pueblo conquistador desarrolló en la España meridional una civilización muy superior a todas las otras de su época?
12. ¿En qué año fueron expulsados de España los árabes? ¿Por quiénes?
13. ¿Cómo se llama el último palacio donde vivieron los árabes en España? ¿Dónde está?
14. ¿Qué aspectos ofrece el palacio en el exterior y en el interior?
15. ¿Cuál es una de las glorias de Córdoba?
16. ¿Qué forman las columnas de la Mezquita?
17. ¿Por qué es interesante la ciudad de Sevilla?
18. ¿Qué queda de la antigua Mezquita de Sevilla?
19. ¿Qué ambiente tiene Sevilla?
20. ¿Qué dicen los sevillanos de su ciudad? ¿Qué contestan los granadinos?

II. HAGA FRASES CON LAS SIGUIENTES EXPRESIONES:

1. no dejar de   2. al parecer   3. en lo alto de
4. servir de   5. apagar la sed

III. DESCRIBA:

1. La Alhambra.
2. La Mezquita de Córdoba.
3. La Catedral de Sevilla.

CAPÍTULO XIII *Patria Chica*

ANDALUCÍA (II)

ARTES Y LETRAS

LA ANDALUCÍA romántica de la guitarra, del baile flamenco,[1]
de los gitanos y de las corridas de toros, es la Andalucía
más conocida; es la parte de España que ha fascinado más a
los extranjeros. Pero esta Andalucía es sólo un aspecto de esta
región que ha producido también pintores, escritores y músicos 5
de renombre universal.

En Andalucía han nacido escritores y artistas que han
sabido interpretar su patria chica. Murillo (1617-1682),
Zurbarán (1598-1662) y Velázquez (1599-1660) eran tres

[1] baile flamenco = baile de los gitanos

pintores contemporáneos. Murillo alcanzó gran fama durante su vida por sus cuadros de la vida diaria, sus golfos[2] de Sevilla comiendo melón, por ejemplo, y sus cuadros religiosos tal vez un poco sentimentales pero que despiertan sentimientos muy
5 comprensibles[3] y muy dentro del espíritu andaluz. Los cuadros religiosos de Zurbarán tienen un gran sentido místico. Aunque Velázquez pintó cuadros de tema religioso (su *Cristo* es muy famoso) era más bien pintor de la corte de Felipe IV y ha dejado obras como *Las meninas*[4] que los artistas mismos con-
10 sideran una de las maravillas de todos los tiempos. De Cádiz fué el compositor Manuel de Falla (1876-1946). Alcanzó gran éxito sobre todo con su ópera en dos actos *La vida breve* y su música de ballet *El amor brujo*.[5] *La danza del fuego* que forma parte de este ballet se toca en muchísimos
15 programas.

La tradición literaria en el sur de España viene de muy antiguo. Durante la dominación romana nació en Córdoba un gran filósofo y dramaturgo, Lucio Anneo Séneca, hijo del conocido autor del mismo apellido. Séneca hijo interpretó de
20 una manera menos austera y más humana la filosofía estoica,[6] y su interpretación de esta filosofía se conoce hoy con el nombre de "senequismo."

Castilla ha creado la gran figura literaria, "Don Quijote," el Caballero de la Triste Figura, pero el romántico "Don
25 Juan" es sevillano, aunque lo creó un castellano, Tirso de Molina, y fué un poeta también castellano, José Zorrilla (1817-1893) quien lo popularizó. Tal vez parezca mentira que su *Don Juan Tenorio* se represente todos los años durante la primera semana de noviembre, sobre todo el día dos, Día

---

[2] **golfos**   street urchins   [3] **muy comprensibles**   very understandable
[4] **Las meninas**   *The Ladies-in-Waiting*
[5] **El amor brujo**   *Love, the Bewitcher*
[6] **filosofía estoica**   *filosofía de origen griego basada sobre todo en la doctrina de la fortaleza en el sufrimiento*

de Difuntos,[7] porque se considera una obra moral que muestra que un pecador se puede salvar por la fe y un amor puro.

En el campo de la música tampoco faltan artistas importantes. No es de extrañar[8] que el guitarrista más apreciado hoy, Andrés Segovia, sea de Andalucía. Es el gran maestro 5 de la guitarra, especialmente conocido por su magnífica interpretación de las obras de Bach.

Aunque es verdad que muchas de las costumbres españolas de hace años ya no se conservan, quedan varias en Andalucía. Las procesiones de la Semana Santa en Sevilla siguen atrayendo 10 no sólo a españoles de otras regiones sino a muchos viajeros de lejanos países. Los hombres de las varias iglesias pertenecen a grupos llamados cofradías[9] que sacan en las procesiones una escena de la Pasión de Cristo o una imagen de la Virgen. Mientras estas escenas, o "pasos," pasan lenta y solemnemente 15 por las calles, alguien, de vez en cuando, rompe a cantar algo breve, algunas veces tradicional, otras veces espontáneo. Como se lanzan por el aire como flechas, estas canciones se llaman "saetas," es decir, flechas. La siguiente saeta va dirigida a una imagen de Cristo: 20

> Míralo, por allí viene
> el mejor de los nacidos,
> atado de pies y manos,
> y el rostro descolorido.[10]

Una semana después de la Pascua de Resurrección comienza otro espectáculo sevillano más pintoresco y romántico: la Feria. Hace más de un siglo la Feria era como muchas, una

---

[7] **Día de Difuntos**   All Souls Day
[8] **No es de extrañar**   it is not surprising
[9] **cofradías**   sodalities, religious organizations
[10] Look at Him; here He comes,
    the best of all living creatures,
    tied hand and foot
    and with His face all colorless.

feria para vender ganado, pero poco a poco ha cambiado y ahora es una feria en que se divierte todo el mundo. En ciertas calles se construyen casetas y en ellas se celebran fiestas de baile y canto acompañados de la guitarra y las castañuelas. En
5 la sevillana[11] que sigue se notará el dialecto andaluz:

> ¡Olé! Son de mi pare;
> ¡Olé Son de mi pare.
>   Son de mi pare
> los "hueyes" del Rocío;
> los "hueyes" de mi pare,
> y el carretero mío. (bis)

¡Olé! Son de mi pare

---

11 *Una de las muchas danzas andaluzas es* la sevillana. *"¡Olé!" es una interjección para animar o aplaudir a los que cantan o bailan.* La (romería) del Rocío *es tal vez la más famosa de todas las romerías españolas. Sigue una traducción libre de esta sevillana que, sin duda, canta una joven:*

> ¡Olé! They belong to my father (*repeat*)
> They are my father's
> the oxen going to the romería del Rocío
> the oxen are my father's
> but the driver is mine.

Recientemente hay más y más aficionados al béisbol y al fútbol en España pero la corrida de toros sigue siendo el espectáculo que tiene más. Los domingos por la tarde durante la temporada de los toros se ven españoles de toda clase social camino a la plaza. Es difícil explicarles a los extranjeros que 5 no es la sangre ni la crueldad lo que los atrae, sino que es el gran arte de los toreros y su valor ante la posibilidad de encontrar la muerte. Para comprender esa actitud sería necesario comprender a fondo el carácter español.

VOCABULARIO Y EXPRESIONES

el **aficionado**	"fan"	el **gitano**	gypsy
alcanzar	to attain	la **guitarra**	guitar
el **apellido**	surname	**humano**	human
las **castañuelas**	castanets	la **imagen**	image, statue
la **corrida de toros**	bullfight	**lanzar**	to utter, hurl
la **corte**	court	**literario**	literary
crear	to create	el **personaje**	
despertar (ie)	to arouse		character (in book or play)
diario	daily	**producir**	to produce
el **éxito**	success	el **programa**	program
fascinar	to fascinate	**sacar**	to take out
la **filosofía**	philosophy	el **torero**	bullfighter
el **filósofo**	philosopher	los **toros**	bulls, bullfight(s)

parecer mentira	to seem incredible	**a menos que**	unless
faltar (-le uno)	to lack	**ya no**	no longer, not any more
romper a	to burst out	**seguir**	to continue (to)
	a fondo	thoroughly	

I. PREGUNTAS:

1. ¿Qué quiere decir "la Andalucía romántica?"
2. ¿Qué otro aspecto tiene Andalucía?

3. ¿Qué diferencia hay entre los cuadros religiosos de Murillo y los de Zurbarán?
4. ¿Cómo se le considera a Velázquez?
5. ¿Qué es el "senequismo?"
6. ¿Quién fué Manuel de Falla?
7. ¿Qué danza suya se toca en muchos programas?
8. ¿Quién creó la figura literaria de don Juan?
9. ¿Quién popularizó este personaje?
10. ¿Por qué se representa *Don Juan Tenorio* el Día de Difuntos?
11. ¿Quién es el gran maestro de la guitarra?
12. ¿Qué clase de música toca Segovia?
13. ¿Para qué van muchos españoles y muchos extranjeros a Sevilla durante la Semana Santa?
14. ¿Qué es una saeta?
15. ¿Qué comienza en Sevilla una semana después de la Pascua de Resurrección?
16. ¿Ha cambiado la Feria de Sevilla? ¿Cómo?
17. ¿Cuál es el espectáculo que sigue teniendo más aficionados en España?
18. ¿Qué deportes tienen recientemente más y más aficionados?
19. ¿Qué es lo que atrae a los españoles a la corrida de toros?
20. ¿Qué sería necesario entender a fondo para comprender la actitud de los españoles hacia las corridas de toros?

II. DE LA COLUMNA *B* ESCOJA UNA PALABRA O FRASE QUE SE RELACIONE CON OTRA DE *A*:

A	B
filosofía	*Don Juan Tenorio*
Las meninas	guitarrista
Granada	de Falla
baile flamenco	baile
El amor brujo	Giralda
castañuelas	Mezquita
Sevilla	Séneca

A	B
Córdoba	Velázquez
Andrés Segovia	gitanos
José Zorrilla	Alhambra

III. PREPARE UN PÁRRAFO SOBRE CADA UNO DE LOS SIGUIENTES TEMAS:

1. Tres pintores sevillanos.
2. Semana Santa.
3. La Feria.

CASTILLA LA NUEVA (I)

TOLEDO, MUSEO DE ESPAÑA

E<small>N EL</small> centro de la Península Ibérica y al sur de Castilla la Vieja está Castilla la Nueva. Se ve por el nombre que son individuos de una misma familia: Castilla la Nueva es la hija menor, tiene menos años que Castilla la Vieja, la mayor. Cuando Alfonso VI de Castilla y León reconquistó la ciudad ₅ de Toledo (1085), esta parte del país empezó a formar parte de los territorios reconquistados que con el tiempo habían de llamarse Castilla la Nueva. La parte ocupada por los territorios que se fueron añadiendo se llamó *Castilla* por pertenecer a Castilla, y la *Nueva* porque su unión con este reino ₁₀ fué posterior. Las dos Castillas se unieron a Aragón y formaron parte de la monarquía española (1479).

Las provincias de que consta la región[1] ocupan una parte importante de la Meseta Central. Por el norte las Cordilleras de Gredos y Guadarrama separan a Castilla la Nueva de ₁₅ Castilla la Vieja; por el sur la Sierra Morena la separa de Andalucía. Los dos ríos que van de este a oeste son el Tajo y

---

[1] *Castilla la Nueva tiene cinco provincias:* Toledo, Madrid, Cuenca, Guadalajara y Ciudad Real

el Guadiana; sus afluentes también la riegan pero no llevan
tanta agua como aquéllos. De vez en cuando aparecen en este
paisaje sin árboles de la meseta valles verdes y vegas fértiles
cerca de los ríos. En una de estas vegas junto al río Tajo está
5 el pueblo de Aranjuez, bello por el Palacio, sus jardines y sus
fuentes, y exquisito por las fresas y los espárragos.[2] Alegra el
paisaje alguno que otro río cuyas aguas mueven un molino.
De entre las interminables llanuras de la región interesa especialmente la Mancha, famosa porque por ella cabalgó[3] y soñó
10 el protagonista de la novela de Cervantes *Don Quijote de la
Mancha,* el caballero que creyó ver magníficos castillos en vez
de pobres ventas y descomunales gigantes[4] en vez de sus
pacíficos molinos de viento, siempre dispuestos a convertir en
harina el trigo que crece allí. Materialmente cada provincia
15 contribuye con algo a la economía de la región. En unas partes
más que en otras se cultivan los cereales; conocidos son el vino
de Valdepeñas que, según el dicho, es "bueno de entrar y malo
de salir,"[5] el queso manchego,[6] la miel de la Alcarria, las
espadas y navajas[7] de Toledo, famosas de siempre;[8] la loza[9]
20 de Talavera de la Reina y, sobre todo, las minas de mercurio
de Almadén, las más ricas del mundo y que se explotan hace
muchísimo tiempo. La gente que habita esta parte del país, por
lo general, es sobria, generosa, trabajadora e inteligente.

Castilla la Nueva tiene ciudades que interesan por su
25 pasado y por su presente. Toledo, la más antigua de todas,
aparece sobre una altura junto al río Tajo que parece querer
defenderla. El novelista Pérez Galdós (1843-1920) dijo de
la ciudad que era "una historia de España completa." Toledo

[2] las fresas y los espárragos   the strawberries and the asparagus
[3] cabalgó   rode
[4] pobres ventas y descomunales gigantes   miserable inns and enormous
giants
[5] [It is] easy to take but hard to fight off
[6] manchego   from la Mancha   [7] navajas   folding knives
[8] de siempre   from way back   [9] loza   pottery

es la ciudad de las leyendas y de las tradiciones, la ciudad museo; es el museo de España, lleno de obras de todos los tiempos y de todos los estilos. Sus calles estrechísimas y tortuosas[10] hacen que conserve su carácter medieval; los siglos de dominación o convivencia[11] con los árabes explican la [5] abundancia de monumentos de carácter oriental y recuerdan que Toledo fué un centro de cultura árabe-cristiano-judía.[12]

Esta historia de España que es Toledo consta de capítulos, todos interesantes aunque unos más interesantes que otros. Uno de ellos empieza en el año 1085 cuando Alfonso VI de [10] Castilla y León entró en la ciudad. Iba acompañado del Cid a caballo.[13] Cuentan que de pronto el caballo se arrodilló y no quiso[14] continuar. Se empezó a investigar por qué y se vió que estaba arrodillado en frente de una mezquita donde encontraron tapadas una imagen de Cristo y una luz que ardía desde [15] el tiempo de los visigodos. Esta antigua mezquita, verdadera joya arquitectónica, se conserva hoy día con el nombre de *El Cristo de la Luz.*

De todos los monumentos religiosos de Toledo destaca su magnífica catedral gótica (siglos XIII-XV), que es a la [20] vez un museo por todas las riquezas artísticas que encierra. De su interior dijo Bécquer (1836-1870) que era "un bosque de gigantescas palmeras de granito." Dignos de admiración son los ventanales de vidrios de colores, la reja de la Capilla Mayor,[15] y de interés histórico y artístico la sillería del coro [21] donde está tallada la historia[16] de la guerra de Granada. Conserva como joyas valiosas cuadros de El Greco y de Goya.

En el Toledo del siglo XVI, religioso y severamente rico,

---

[10] **tortuosas** winding [11] **convivencia** living together
[12] **cultura árabe-cristiano-judía** Christian-Mohammedan-Jewish culture
[13] *El Cid montaba su famoso caballo Babieca* [14] **no quiso** refused
[15] **la reja de la Capilla Mayor** the grill work in front of the Main Altar
[16] **la sillería del coro . . . la historia** the choir stalls carved with the history

hay que situar al pintor Domenico Theotocópuli, llamado *El Greco* (1541-1614). Aunque nació en la isla de Creta y no se estableció en Toledo hasta 1585, él, como nadie, supo interpretar el Toledo de esa época. En Toledo murió, y allí se
5 conserva el cuadro que más fama le ha dado, *El entierro del Conde de Orgaz,* considerado por muchos la obra maestra de la pintura. La casa donde vivió está en la sección que habitaron los descendientes de musulmanes y judíos que permanecieron en la ciudad después de 1085. Por eso se conservan hoy día
10 monumentos del sencillo y a la vez magnífico arte mudéjar, tan típico de Toledo y que tanta fama le dan.

En la vega de Toledo hay una construcción de aspecto humilde y de rica tradición: *La ermita del Cristo de la Vega*[17] donde se venera desde hace años la imagen de un Cristo. Sería
15 en el siglo XVI que un soldado español juró delante de esta imagen casarse con una joven toledana. Cuando volvió de Flandes después de unos años, ya no el soldado Diego Martínez sino el Capitán don Diego, juró ante el juez no haber hecho tal promesa. Insiste ella que le tomen declaración
20 al Cristo ante quien el soldado había hecho su promesa, y se oye su voz que contesta "¡Sí juro!", al mismo tiempo que pone la mano sobre los autos.[18] Desde entonces la imagen se conoce con el nombre de "El Cristo de la mano desclavada."[19] Este es el resumen de la leyenda *A buen juez, mejor testigo*[20]
25 de José Zorrilla (1817-1893), inspirada en una tradición popular toledana.

Cervantes y muchísimos más dejaron su memoria en Toledo. Pero ésos son capítulos que quedan por[21] leer de esta "historia de España completa" que es Toledo.

[17] **La ermita del Cristo de la Vega** *The hermitage of the Christ of the Meadow*   [18] **autos** writ, legal document
[19] **"El Cristo de la mano desclavada"** "The Christ with the unnailed hand"
[20] **A buen juez, mejor testigo** *To a Good Judge a Better Witness*
[21] **capítulos que quedan por leer** unread chapters

VOCABULARIO Y EXPRESIONES

alegrar	to gladden	**jurar**	to take an oath, swear
añadir	to add	**mayor**	older
arrodillarse	to kneel	**menor**	younger
el caballero	knight, gentleman	**la miel**	honey
el capitán	captain	**nuevo**	new
el centro	center	**pacífico**	peaceful
contestar	to answer	**el pasado**	past
dispuesto	ready	**el presente**	present
la espada	sword	**el queso**	cheese
establecerse	to settle	**separar**	to separate
generoso	generous	**viejo**	old
la harina	flour		

se ve   it is evident   **tener años**   to be years old

haber de   to be to   **formar parte de**   to become a part of

alguno que otro   an occasional

montar a caballo   to ride horseback   **a la vez**   at the same time

I. CONTESTE EN ESPAÑOL:

1. ¿Cómo se explica el origen del nombre Castilla la Nueva?
2. ¿Cuáles son las provincias de que consta Castilla la Nueva?
3. ¿Qué cordilleras tiene al norte y al sur?
4. ¿Qué aparece de vez en cuando en la meseta sin árboles?
5. ¿Dónde está Aranjuez?
6. ¿Qué partes de Aranjuez son bellas?
7. ¿Cuál es la más famosa de todas las llanuras castellanas?
8. ¿Qué creyó ver Don Quijote cuando cabalgaba por la Mancha?
9. ¿Por qué es importante Almadén?
10. ¿Dónde está situado Toledo?
11. ¿Qué importancia tuvo Toledo en la Edad Media?
12. ¿Quiénes entraron en Toledo en 1085?
13. ¿Cómo describió Bécquer la catedral de Toledo?
14. ¿Por qué se parece la catedral a un museo?

15. ¿Qué adorna la sillería del coro?
16. ¿Cuál es el cuadro más famoso de El Greco?
17. ¿Cuál era el nombre de El Greco?
18. ¿En qué parte de Toledo está situada la casa de El Greco?
19. ¿Qué juró el soldado antes de salir para Flandes?
20. ¿Por qué ha sido siempre famoso Toledo?

II. USE LAS SIGUIENTES EXPRESIONES EN FRASES RELACIONADAS CON EL TEXTO:

1. montar a caballo
2. alguno que otro
3. haber de
4. formar parte de
5. a la vez
6. se ve

III. COMPOSICIÓN ORAL:

1. Origen del nombre *El Cristo de la Luz.*
2. La leyenda de *A buen juez, mejor testigo.*
3. Contribuciones de las provincias a la economía de la región.

CAPÍTULO XV *Patria Chica*

CASTILLA LA NUEVA (II)

"DE MADRID, AL CIELO . . ."[1]

Sí, los madrileños aseguran que "de Madrid, al cielo"; pero necesitan "en el cielo un agujerito para verlo." Y se comprende. Se ha hablado mucho del frío de sus inviernos y del aire sutil[2] de la Sierra de Guadarrama "que mata un hombre y no apaga un candil"[3]; del calor del verano que asusta y hace 5 que los madrileños vayan a las playas del norte o a la Costa Brava o a algún pueblo de la Sierra. El madrileño que no puede

[1] *La expresión popular completa dice:* "**De Madrid, al cielo, y en el cielo un agujerito para verlo.**" "From Madrid to heaven, and in heaven a little hole to see it" (*i.e.* Madrid)
[2] **aire sutil** delicately penetrating air   [3] **candil** oil lamp

131

salir se queda a gozar, cuando lo hay, del fresco de los muchos parques, jardines, avenidas, plazas. Pero haga frío o haga calor,[4] el clima es seco y el cielo despejado[5] la mayor parte del tiempo. ¡Qué lástima, sin embargo, que no se haya hablado
5 bastante de la primavera y del otoño de Madrid, que son una delicia de flores,[6] de cielo azul y nubes blancas; de su sol que acaricia, de su aire vivo y penetrante! ¡Sí, "de Madrid, al cielo"!

La población de Madrid ha aumentado mucho con la
10 gente que ha venido de provincias. Sin embargo, la ciudad conserva su actividad y su alegría características, y sus habitantes son, como siempre, corteses, generosos, francos y animados, y muy conscientes de la importancia de su ciudad, la capital del país.

15 Madrid está situado casi en el centro geográfico de la Península. El río Manzanares, al que cruzan magníficos puentes pero al que por su insignificancia han llamado "arroyo aprendiz de río,"[7] corre por el lado oeste de la ciudad; hacia el norte destaca la Sierra de Guadarrama, a menudo nevada
20 hasta mayo. Rodea la ciudad la llanura castellana, extensa, despejada y despoblada de árboles.[8] En una de las particiones del escudo de Madrid hay un oso y un madroño,[9] quizás para recordar que en un tiempo esa meseta estuvo cubierta de bosques y fué rica en caza.

25 No se dice de Madrid que es una ciudad muy antigua. Su historia carece de importancia hasta 1083 cuando Alfonso VI de Castilla y León la reconquistó a los árabes. Creció lenta-

---

[4] **haga frío o haga calor**   be it cold or hot   [5] **despejado**   cloudless
[6] **que son una delicia de flores**   which are a delight with their flowers
[7] **que por su insignificancia . . . aprendiz de río**   *due to its insignificance has been called* "a brook apprentice to a river"
[8] **despoblada de árboles**   treeless
[9] **En una de las particiones . . . y un madroño**   In one of the partitions in Madrid's coat of arms there are a bear and a madroña (*evergreen shrub with red edible berries*)

mente hasta que por fin Felipe II trasladó allí la capital. En los siglos XVI y XVII fué un importantísimo centro artístico y cultural. Desde fines del siglo XIX se ha ido transformando[10] en una ciudad grande, hermosa y moderna. Afortunadamente el Madrid de los barrios típicos no ha desaparecido 5 del todo. A algunos madrileños les gusta visitar las orillas del río Manzanares a lo menos dos veces al año. Una vez van a la ermita de San Isidro Labrador, Santo Patrón de Madrid, a seguir una tradición muy antigua. Según se cuenta, a este bendito labrador los ángeles le ayudaban a labrar los campos 10 de su amo para que él pudiera cumplir con sus devociones. Los que van en romería se proponen rezarle al Santo y además beber el agua que San Isidro hizo brotar y que creen que conserva las propiedades curativas del tiempo del Santo (siglo XIII). No lejos de esta ermita está la de San Antonio de la 15 Florida. A este santo acuden muy de mañana las jovencitas a pedirle un buen novio. El pintor Goya dejó una de sus obras maestras en la cúpula de la ermita de San Antonio de la Florida en que aparece el Santo rodeado de ángeles y gente del pueblo, todos muy madrileños.   20

A la Plaza Mayor de Madrid se va a ver y a recordar. Es grande y magnífica, con soportales en los cuatro lados que dan sombra a una infinidad[11] de viejas tiendas que venden de todo. En el centro de la Plaza está la estatua ecuestre de Felipe III (1598-1621).[12] El pobre rey sin duda está cansado de ver y 25 oír tanto: los domingos por la mañana, a los que vienen al mercado de sellos; en el invierno a la gente del pueblo, viejos y niños, que viene a tomar el sol; en el verano a todo el mundo que viene a tomar el fresco; y siempre, a todas horas, acompañado de los tranvías madrileños con sus chirridos[13] y su 30

[10] **se ha ido transformando** has become more and more
[11] **infinidad** a great many   [12] *Felipe III mandó construir la Plaza Mayor*
[13] **chirridos** creaking

color azul. Este rey recordará, quizá, que la Plaza Mayor fué
durante dos siglos el mayor escenario[14] de la ciudad: allí unos
cincuenta mil espectadores podían presenciar desde los balcones
de las casas procesiones, autos de fe, fiestas reales, fiestas de
5 toros, obras de teatro, etcétera. En el siglo XX sigue siendo
un lugar de vida y de bullicio.

La Puerta del Sol[15] es el corazón de Madrid; es su plaza
típica y cosmopolita; histórica, moderna, madrileña. Abundan
las tiendas modernas; tiene jardines con fuentes que refrescan
10 el ambiente y la vista. Porque creen que les traerá suerte, a
esta plaza viene todos los años la noche del 31 de diciembre
una alegre multitud a comerse, una a una, las tradicionales
doce uvas, una a cada toque del reloj que da la hora oficial.
Una inscripción en uno de los edificios de la plaza recuerda
15 que el 2 de mayo de 1808 el pueblo de Madrid se levantó
contra los franceses.

El Museo del Prado ha hecho de Madrid un centro
artístico importantísimo. De los museos de pintura es de los
más ricos en obras y en artistas. Sólo las colecciones de pinturas
20 de El Greco, Velázquez, Murillo y Goya hacen de él un
museo de importancia única en el mundo. Reúne, además,
obras representativas de todas las escuelas españolas de pintura
y una gran variedad y riqueza en los cuadros de los pintores
importantes de otros países.[16] El Prado es un museo que sólo
25 en Madrid se puede apreciar debidamente. La Biblioteca
Nacional y el Palacio Real por los tesoros que contienen son
también museos de muchísimo valor. Las calles y los paseos de
Madrid con sus estatuas y monumentos recuerdan constante-

[14] **escenario** stage
[15] **Puerta del Sol** *Se llama así la plaza porque aquí hubo una puerta de
la ciudad orientada al este*
[16] *El Museo de Arte Moderno contiene las pinturas de los siglos XIX
y XX*

mente que allí vivieron grandes españoles, entre ellos Cervantes, Lope de Vega, Tirso de Molina y muchos más.

Perdido en la severa Sierra de Guadarrama aparece, a unas treinta millas de Madrid, el Monasterio de San Lorenzo del Escorial considerado por muchos la Octava Maravilla del Mundo. Lo mandó construir Felipe II para conmemorar la victoria de San Quintín (1557) sobre los franceses. Tiene forma de unas parrillas invertidas[17] para recordar el martirio de San Lorenzo,[18] santo a cuya memoria está dedicado. Es un enorme edificio, severo y sin adornos, este monasterio que el rey quiso se edificara para ser lugar de entierro de los reyes de España. Además de monasterio y panteón real, El Escorial contiene una biblioteca de gran valor y un palacio; en éste murió Felipe II.

También en la provincia de Madrid está Alcalá de Henares, ciudad tres veces famosa: en Alcalá de Henares nació Cervantes, de todos los escritores españoles el más universal; en Alcalá estableció el Cardenal Cisneros (1436-1517) la universidad (1508), de todas las españolas la de más nombradía después de la de Salamanca[19]; y en el siglo XX es la ciudad de Alcalá de Henares dulce y prosaicamente famosa por sus deliciosas peladillas.[20]

VOCABULARIO Y EXPRESIONES

acariciar	to caress	animado	lively
el aire	air	afortunadamente	fortunately
el amo	master	apagar	to put out, blow out
el ángel	angel	asustar	to frighten

[17] **parrillas invertidas**   upside down gridiron
[18] *Saint Lawrence is supposed to have suffered martyrdom on a gridiron*
[19] *En 1836 el Gobierno trasladó la Universidad de Alcalá de Henares a Madrid*
[20] **peladillas**   sugared almonds

aumentar	to increase	**labrar**	plow
la **biblioteca**	library	el **lado**	side
cortés	polite	la **primavera**	spring
desaparecer	to disappear	**quizás, quizá**	perhaps
el **fresco**	coolness	el **reloj**	clock, watch
el **labrador**	plowman	**trasladar**	to transfer

¡**qué lástima!** what a pity!   **a menudo** often

carecer de to lack

tomar el sol (el fresco) to enjoy the sunshine (the coolness)

proponerse to intend to, to plan to   **una a una** one by one

dar la hora to strike the hour

I. CONTESTE EN ESPAÑOL:

1. ¿Qué aseguran los madrileños acerca de su ciudad?
2. ¿Por qué se dice que Madrid tiene "tres meses de infierno y nueve de invierno?"
3. ¿Cómo son la primavera y el otoño en Madrid?
4. ¿Quiénes forman la población de Madrid?
5. ¿Se parecen el río Manzanares y el río Tajo?
6. ¿Cuándo y para qué visitan los madrileños las orillas del Manzanares?
7. ¿Ha sido siempre despoblada y sin caza la llanura que rodea a Madrid?
8. ¿Es Madrid una ciudad muy antigua?
9. ¿Qué fué el Madrid de los siglos XVI y XVII?
10. ¿Quiénes y para qué ayudaban a San Isidro?
11. ¿Qué magnífica obra de arte hay en la cúpula de la ermita de San Antonio de la Florida?
12. ¿A qué se va a la Plaza Mayor de Madrid?
13. ¿Quiénes y a qué van en invierno y en verano a la Plaza Mayor?
14. ¿Qué es la Puerta del Sol?
15. ¿Qué ocurre allí el 31 de diciembre por la noche?
16. ¿Qué recuerda una inscripción en la misma plaza?

17. ¿Qué distingue el Museo del Prado de otros museos?
18. ¿Qué es El Escorial además de panteón real?
19. ¿Cuáles fueron las dos universidades españolas más famosas?
20. ¿Existe hoy día la universidad de Alcalá de Henares?

II. COMPLETE LAS FRASES SIGUIENTES:

1. En Alcalá de Henares nació _____, autor de _____.
2. En el siglo XX Alcalá de Henares es _____ y _____ famosa por sus _____.
3. Muchos consideran El Escorial la _____.
4. Es un edificio _____ y _____.
5. Las calles y paseos de Madrid recuerdan que allí vivieron los grandes escritores _____, _____, _____.
6. El Museo del Prado contiene también _____ de pintores extranjeros.
7. El Palacio Real es además _____ por los tesoros que contiene.
8. En el centro de la Plaza Mayor está _____. El pobre rey estará _____ de _____ y _____.
9. Los tranvías de Madrid son _____.
10. Desde los balcones de la Plaza Mayor se presenciaban _____.

III. COMPOSICIÓN ORAL:

1. El Madrid antiguo y el Madrid moderno.
2. ¿Preferiría Vd. pasar unos días en Madrid o en Toledo? ¿Por qué?

CAPÍTULO XVI *Patria Chica*

EL PAÍS VASCO

TIERRA DE LA RAZA MISTERIOSA

EL País Vasco español, separado del País Vasco francés por
los Pirineos, está en la costa del Mar Cantábrico. El río
Ebro lo separa de Castilla la Vieja, y al oeste limita también
con Castilla la Vieja, mientras que en el este está Navarra.

5   A pesar de los esfuerzos que han hecho los historiadores
para saber el origen de los vascos y de su incomprensible
lengua, el vascuence, siguen siendo la raza misteriosa, no sólo
de España sino de Europa. No hay quien los relacione con los
otros pueblos del mundo ni quien haya podido clasificar el

vascuence entre los otros idiomas del universo. Naturalmente
los vascos están muy orgullosos de su origen antiguo. Se dice
que una vez unos nobles franceses le hablaban con mucho
orgullo de la antigüedad de su familia a un vasco español.
Dijeron que su familia databa de unos reyes franceses de 5
hacía siglos. El vasco sencillamente añadió: "Nosotros no
datamos."

¿Cómo son estas personas misteriosas? Son menos
morenas que los habitantes de Castilla, por ejemplo; tienen
la cara larga y estrecha y la nariz más bien grande y aquilina[1]; 10
muchos de ellos tienen los ojos verdes. En las dos provincias
de Guipúzcoa y de Vizcaya son muy altos de estatura; los de
la provincia de Álava[2] no son tan altos. Algunos son campesinos, otros pescadores, otros mineros. Por regla general
llevan pantalón blanco, blusa azul, alpargatas y boina.[3] Son 15
tercos, valientes y muy religiosos. Les gustan los juegos que
requieren mucha fuerza física y celebran regatas a remo,[4]
carreras a pie, y sobre todo juegan el famoso *jai alai* o pelota,[5]
que se considera el juego más rápido del mundo. El campo
donde se juega al jai alai se llama frontón y consta de una 20
pared principal y otra que forma un ángulo recto con ésta.
Los dos jugadores de un equipo[6] tratan de lanzar la pelota
contra la pared con una especie de cesta alargada de mimbre[7]
que llevan atada a una mano, de tal manera que los adversarios
no puedan volver a lanzarla contra la misma pared. Es un 25
juego que despierta gran interés por la rapidez de los movi-
mientos y la fuerza de los jugadores.

[1] **aquilina** aquiline, hooked
[2] *El País Vasco consta de las tres provincias de Guipúzcoa, Vizcaya
y Álava*
[3] **alpargatas** sandals made of hemp;   **boina** cap, beret smaller than the
French beret   [4] **regatas a remo** rowing races
[5] **jai alai** *Basque name for this game;* **pelota** (ball) *also Spanish name
for the game, a kind of handball*   [6] **equipo** team
[7] **cesta alargada de mimbre** an elongated narrow wicker basket

Como el vasco es muy activo y muy trabajador, su país es hoy uno de los centros más importantes del comercio en España. La capital de Vizcaya es Bilbao, la ciudad vasca más grande y uno de los centros financieros más importantes de 5 España. Está situada cerca de la costa, en las dos riberas del río Nervión. Tiene astilleros, fundiciones[8] de hierro, plomo, cobre y zinc, metales que sacan de las minas cercanas y que exportan directamente desde allí, a Inglaterra sobre todo. La capacidad del vasco para el trabajo es apreciada fuera de su 10 país también, y unos 50.000 vascos franceses y españoles han cruzado el Atlántico en avión para servir de pastor de ovejas en el oeste de los Estados Unidos mientras unos 250.000 vascos españoles trabajan de mineros, y en fundiciones de hierro y de otros metales en la América del Sur.

15 Vitoria, capital de Álava, no sólo es un centro industrial importante sino también una ciudad de interés histórico: fué aquí donde el general inglés Wéllington ganó la batalla decisiva de la Guerra de la Independencia contra José Bonaparte y los franceses. Por este hecho recibió más tarde el título de 20 Duque de Vitoria.

San Sebastián, capital de Guipúzcoa, está muy cerca de la frontera francesa, en el Mar Cantábrico. Tiene una playa magnífica, su famosa Concha, y es uno de los sitios de veraneo[9] más de moda. Cuando hace calor en Madrid, todo el mundo, 25 incluso el Gobierno, pasa una temporada allí. Es una de las ciudades españolas en que mejor se come. Un plato sencillo pero típico y sabroso es el bacalao a la vizcaina.[10] Igualmente típica es la sidra que se toma con las comidas.

A unas millas al sudoeste de San Sebastián está el San- 30 tuario de San Ignacio de Loyola, construido en el lugar donde

---

[8] **fundición** foundry   [9] **sitio de veraneo** summer resort
[10] **bacalao a la vizcaina** codfish in Biscayan style

nació este célebre vasco. En 1521, durante el sitio de Pamplona por los franceses, fué herido y como tuvo que guardar cama mucho tiempo leyó libros devotos. Desde entonces se dedicó a la vida religiosa y más tarde fundó la Compañía de Jesús o sea la Orden de los jesuitas. Entre los que formaron el núcleo 5 de esta compañía había otro vasco, San Francisco Javier, que fué uno de los misioneros más famosos.

Varios artistas vascos han interpretado de una manera admirable la vida de su región. Entre los que han pintado sus fiestas, sus juegos, los interiores de sus casas y sobre todo el 10 carácter vasco por medio de escenas de vascos de todas las edades están los hermanos Zubiaurre: Valentín (1884-) y Ramón (1887-). Pero el artista vasco más conocido fuera de España es Ignacio Zuloaga (1870-1945). Sus retratos, pintados por regla general de colores vivos, destacan contra 15 un fondo sombrío. En Steinway Hall, en la ciudad de Nueva York, está su magnífico retrato del famoso pianista polaco[11] Ignace Paderewski. Tampoco faltan grandes figuras en el campo de las letras; un escritor vasco ilustre fué Miguel de Unamuno. Este famoso profesor de la Universidad de Sala- 20 manca nació en Bilbao pero se le considera un vasco castellani-zado.[12] Entre los grandes novelistas contemporáneos destaca Pío Baroja y Nessi (1872-). Este autor ha creado muchos personajes de interés, sobre todo el tipo de vagabundo o aventurero, como el protagonista de *Zalacaín el aventurero*. 25

A los vascos les gusta cantar y bailar. Muchos de sus bailes son bailes de hombres y son tan enérgicos como sus deportes. El baile es más que un pasatiempo, es casi un rito.[13] La danza de la espada, en algunos pueblos, se baila en la iglesia misma. Hay bailes muy animados en que el bailarín 30 salta con un pie en una copa de vino sin verter ni una gota. Se

[11] **polaco** Polish   [12] **castellanizado** castilianized   [13] **rito** rite, ritual

debe mencionar también el famoso grito vasco, el *irrintzi*, que
parece el relinchar[14] de un caballo salvaje. Se usaba antes como
grito de guerra; hoy, como el "yodel" de Suiza, para llamar
la atención cuando los vascos están en las sendas de las mon-
5 tañas; también cuando están muy contentos durante una fiesta,
tal vez como la que se describe en esta canción:

> Hoy es domingo, zagala;
> la fiesta es del lugar;
> del "chistu" vamos al son
> y del tambor a bailar.
>
> Cuando la fiesta se acabe
> cansados ya de bailar,
> roscas y sidra dulces
> tenemos que merendar.[15]

Día de fiesta

Andantino

Hoy es domin-go, za-ga - la la fiesta es del lugar
del "chis-tu" va-mos al son - - y del-tam-bor a bai-lar.
Cuan-do la fiesta se a-ca-be can-sa-dos ya de bai-lar.
Ros-cas y si-dras dul-ces te-né-mos que me-ren-dar.

[14] **relinchar**   neighing
[15]   Today is Sunday, lass,
      And the fiesta is in our town.
      To the sound of the flute and the drum
      Let's go dance.

VOCABULARIO Y EXPRESIONES

atar	to tie	misterioso	mysterious
la blusa	shirt, blouse	la nariz	nose
la cara	face	el pantalón	trousers
el esfuerzo	effort	la pared	wall
exportar	to export	el protagonista	protagonist
la fuerza	force, strength	requerir (ie, i)	
herir (ie, i)	to wound		to require, demand
el idioma	language	el retrato	portrait
el juego	game	saltar	to jump, leap
jugar (ue)	to play	la senda	path
llevar	to wear	verter (ie)	to spill

constar de   consist of   guardar cama   stay in bed

por medio de   by means of, through

I. PREGUNTAS:

1. ¿Dónde está situado el País Vasco?
2. ¿Por qué se llama al País Vasco "tierra de la raza misteriosa"?
3. ¿De qué están muy orgullosos los vascos?
4. ¿Cómo son estas personas misteriosas?
5. ¿Qué hacen los vascos para ganarse la vida?
6. ¿Cómo se visten los hombres por regla general?
7. ¿Qué clase de juegos les gusta?
8. ¿Cuál es la capital de cada provincia?
9. ¿Por qué es muy importante Bilbao?
10. ¿Por qué es de interés histórico Vitoria?
11. ¿Qué ciudad es famosa por su magnífica playa?
12. ¿Qué fama tiene San Sebastián en cuanto a la comida?
13. ¿Qué orden religiosa fundó San Ignacio de Loyola?

When the fun is over,
When we're tired of dancing
Round buns and cider
We'll have for a picnic lunch.

14. ¿Por qué es muy conocido San Francisco Javier?
15. ¿Qué artistas vascos han interpretado de una manera admirable la vida de su país?
16. ¿Cómo son los retratos de Ignacio Zuloaga?
17. ¿Dónde nació Miguel de Unamuno?
18. ¿Qué tipo de protagonista le interesa al novelista Pío Baroja?
19. ¿Parecen fáciles los bailes vascos?
20. ¿Qué es el *irrintzi?*

II. COMPLETE ESTAS FRASES CON PALABRAS DEL TEXTO:

1. El frontón _____ una pared principal y _____ que forma ángulo recto con ella.
2. San Ignacio de Loyola fué _____ y _____ mucho tiempo.
3. Los hermanos Zubiaurre interpretaron su país _____ escenas de vascos de _____.
4. Unos 50.000 _____ han cruzado el Atlántico _____ para _____ de pastor de _____ en los _____.
5. San Sebastián tiene _____, su famosa _____.
6. Igualmente típica es _____ que se _____ con las comidas.
7. El general inglés Wéllington _____ la batalla _____ de la Guerra _____ contra José Bonaparte y _____.
8. Como el vasco es muy _____ y muy _____ su país es hoy uno de _____ más importantes del _____ en España.
9. El jai alai es un _____ que _____ gran interés por _____ de los jugadores.
10. El río _____ separa al País Vasco de _____, mientras que en el este está _____.

III. DIGA UNAS PALABRAS SOBRE:

1. El juego de jai alai.
2. San Ignacio de Loyola.
3. Los bailes vascos.

CAPÍTULO XVII   *Patria Chica*

EXTREMADURA

"YA SE VAN LOS PASTORES A LA EXTREMADURA"

HAY varias versiones acerca del origen del nombre de esta
región que limita con Portugal al oeste, con Andalucía
al sur, con las dos Castillas al este y con León al norte. La más
probable es que durante la Reconquista el nombre *Extre-*
madura[1] vino a indicar "las tierras de extremos," que fué el 5
nombre que se daba a las llanuras a donde los pastores llevaban
los ganados en invierno. Todavía hoy los pastores trashumantes[2] de León y de Castilla bajan de la sierra cuando se

[1] *Extremadura tiene dos provincias: Badajoz y Cáceres*
[2] trashumantes   nomadic, wandering

145

acerca el invierno y se ponen en camino a Extremadura. Esta canción muestra lo tristes que se quedan las zagalas al verlos marchar:

> Ya se van los pastores
> a la Extremadura. (bis)
> Ya se queda la sierra
> triste y oscura. (bis)
>
> Ya se van los pastores,
> ya se van marchando. (bis)
> ¡Más de cuatro zagalas
> quedan llorando! (bis)[3]

El paisaje en general es un poco monótono porque el

---

[3] The shepherds are going now
to Extremadura.
Now the mountains are
sad and dark.

The shepherds are going now,
they are going off.
More than four shepherdesses
are left behind weeping.

terreno es llano o casi llano y en algunas partes lo cubre alguno que otro arbusto[4] y escasa hierba. Hay árboles de muchas clases: olivos, árboles frutales y alcornoques.[5] La provincia de Badajoz, con la de Gerona, son de las regiones más ricas del mundo en corcho, pero Badajoz es pobre en otros recursos. [5] Actualmente el gobierno español ha emprendido allí una extensa obra pública de riego que incluye la construcción de una red de canales que harán productivos casi 300.000 acres de tierra que ahora no lo son. También hay castaños y robles cuyo fruto es excelente alimento para los muchos cerdos que [10] se crían allí. La cría de los cerdos y de las ovejas es una de las principales riquezas de la región. Los embutidos[6] de Extremadura se consideran entre los mejores del país.

Dos ríos, el Tajo y el Guadiana, pasan por Extremadura, pero éstos continúan su camino a Portugal y desembocan en [15] el Océano Atlántico, y como pasan por un país extranjero no pueden servir de gran utilidad en el comercio a los extremeños.

El clima es extremado; a veces llueve muchísimo y sufren inundaciones, a veces todo está muy seco. Por eso Extremadura es económicamente una región pobre; sin duda [20] si hubiese explotado con más cuidado sus recursos habría logrado un nivel económico más alto.

Tal vez sea a causa de estas condiciones que los extremeños parecen más taciturnos, más serios, menos activos que los otros españoles y sin características que los distingan. [25] Sin embargo, los exploradores españoles más distinguidos, más valientes y más enérgicos eran extremeños. Si pensáramos en el paisaje extremeño, de lejano horizonte, que parece impulsar a seguir, comprenderíamos mejor el espíritu aventurero de ellos. Sea como sea,[7] en Extremadura nació Francisco [30]

---

[4] **alguno que otro arbusto** an occasional shrub
[5] **alcornoques** cork trees   [6] **embutidos** large sausages
[7] **Sea como sea** Be that as it may

Pizarro (1475-1541) que acompañó a Balboa cuando éste descubrió el Pacífico. Al oír hablar de las riquezas del Inca, Pizarro organizó una expedición y después de muchas dificultades llegó al Perú que conquistó después de matar al 5 Inca Atahualpa. Hernán Cortés (1485-1547), extremeño también, conquistó a Méjico. Dos incidentes que destacan en esa aventura son la quema de sus naves para evitar que algunos de sus hombres volvieran a Cuba, y la Noche Triste cuando los aztecas atacaron a los españoles en Tenochtitlán, capital 10 azteca; los españoles tuvieron que huir por la noche después de sufrir una pérdida terrible. Al año siguiente conquistaron a Tenochtitlán y con su rendición cayó el imperio azteca. En Badajoz nació Pedro de Alvarado, a quien Cortés, después de la conquista de Méjico, mandó a Guatemala. Alvarado con- 15 quistó el Salvador y Guatemala, permaneciendo de gobernador de este país hasta su muerte. Otro explorador extremeño fué Hernando de Soto (1500-1542), el primer hombre blanco que cruzó el río Misisipí, muriendo después en sus riberas. Sus hombres le enterraron en el río mismo para que 20 los indios no supieran su muerte.

Extremadura tiene dos monasterios de interés histórico. El de San Jerónimo de Yuste está situado en un verdadero jardín de flores protegido por la alta Sierra de Gredos, donde pasó los últimos meses de su vida uno de los más grandes 25 monarcas españoles, el emperador Carlos V (1500-1558). Este monarca, que nació en Flandes, fué nieto de los Reyes Católicos; a la edad de dieciséis años heredó el reino de España y más tarde fué nombrado emperador de Alemania. Durante su reinado tuvieron lugar muchas guerras y el mo- 30 narca, después de haber hecho unos cuarenta viajes, a Inglaterra, Alemania, Italia, África y Flandes (¡lo cual era mucho viajar en el siglo XVI!) se puso mal de salud y se retiró (1556) al monasterio de Yuste, donde pasó sus últimos días.

El ambiente del monasterio de Nuestra Señora de Guadalupe[8] forma gran contraste con el de Yuste, porque se halla medio escondido entre las sombrías montañas del mismo nombre. Fundado en el siglo XIII, el monasterio ha sido objeto de las peregrinaciones de muchos hombres de renombre: Carlos V, Cervantes, Cristóbal Colón, Pizarro, Cortés, y Zur- 5 barán que dejó allí como recuerdo de sus visitas unos de sus mejores cuadros que muestran a los monjes en su éxtasis religioso o en su meditación.

Al sur de Guadalupe, en el río Guadiana, está Mérida, la antigua *Emerita Augusta* establecida hacia el año 25 antes de 10 Cristo por el emperador romano Augusto como una colonia de "eméritos," es decir, de soldados a quienes se daban tierras en premio de sus servicios. Los restos de sus monumentos muestran la gran importancia de que gozaba Mérida en aquella época. Entre éstos sobresalen: el puente[9] que además 15 de los arcos grandes tenía arcos pequeños por donde pasaba el agua durante las inundaciones, el teatro con plazas para cinco mil personas y otros edificios que nuevas excavaciones están sacando a luz, ya que toda la ciudad actual se ha declarado monumento nacional. 20

También en el río Guadiana, cerca de Portugal, se halla la ciudad de Badajoz que tuvo durante la dominación árabe grande importancia. Ha sido centro de muchos ataques, sitios y saqueos en varias guerras y no es de extrañar que la ciudad tenga aún el aspecto de una fortaleza en cuanto a la cons- 25 trucción de muchos de sus edificios, incluso la catedral en que toda la población solía refugiarse en momentos de peligro. Hoy Badajoz es una ciudad activa de unos setenta mil habitantes.

En la ciudad de Alcántara[10] los romanos han dejado otra 30 maravillosa prueba de su habilidad en la construcción de

[8] *El culto a Nuestra Señora de Guadalupe se extendió a Méjico dos siglos después de la fundación del monasterio en España*
[9] *Acaso el más largo del imperio romano, de media milla de largo*
[10] **Alcántara** *es una palabra árabe que quiere decir* puente

puentes. Este puente, conservado casi intacto, fué construido
en el siglo I, en tiempo del emperador Trajano. Se considera
uno de los más perfectos de todos los tiempos por su técnica y
la belleza de su forma.

VOCABULARIO Y EXPRESIONES

el **aventurero**	adventurer	**llano**	level
la **característica**	characteristic	el **nieto**	grandson
el **cerdo**	pig	**nombrar**	to name, appoint
continuar	to continue	la **oveja**	sheep
criar	to raise	el **peligro**	danger
emprender	to undertake	la **pérdida**	loss
escaso	scant	el **recuerdo**	memento
el **espíritu**	spirit	la **red**	network
evitar	to avoid	**sobresalir**	
la **hierba**	grass		to stand out, be important
indicar	to indicate	**soler (ue)**	to be accustomed to

en premio de as a reward for   **gozar de** to enjoy

de largo in length, long   sacar a luz to bring to light

ya que since, now that

I. PREGUNTAS:

1. ¿Con qué regiones limita Extremadura?
2. ¿Cuándo bajan los pastores de las sierras de León y Castilla?
3. ¿Cómo es, en general, el paisaje de Extremadura?
4. ¿En qué producto es muy rica la provincia de Badajoz?
5. ¿Qué obra pública ha emprendido actualmente el gobierno
   español?
6. ¿Por qué son importantes los castaños y los robles de
   Extremadura?
7. ¿Cuáles son los dos ríos que pasan por Extremadura?
8. ¿Por qué no pueden servir de gran utilidad en el comercio
   extremeño?
9. ¿Qué clima tiene esta región?

10. ¿Cómo habría logrado, tal vez, Extremadura un nivel económico más alto?
11. ¿Tienen los extremeños la misma personalidad que los otros españoles?
12. ¿Qué hombres de renombre mundial nacieron en Extremadura?
13. ¿Sabía Vd. antes dónde nacieron estos famosos exploradores?
14. ¿Quién pasó sus últimos días en el monasterio de Yuste?
15. ¿Qué contraste hay entre el ambiente de Yuste y el del monasterio de Guadalupe?
16. ¿De qué nombre latino viene el nombre de la actual Mérida?
17. ¿Qué monumentos muestran la importancia de la antigua ciudad?
18. ¿Qué aspecto tiene la ciudad de Badajoz? ¿Por qué?
19. ¿Qué prueba de su habilidad dejaron los romanos an Alcántara?
20. ¿Cómo se ha conservado el puente?

II. DE LAS PALABRAS ENTRE PARÉNTESIS ESCOJA LAS QUE COMPLETAN LA FRASE:

1. El Tajo y el Guadiana desembocan en _____ (el Mar Mediterráneo, el Océano Pacífico, el Océano Atlántico, el río Ebro).
2. Francisco Pizarro _____ (conquistó a Méjico, descubrió el Salvador, murió en las riberas del río Misisipí, conquistó el Perú).
3. Hernán Cortés _____ (salió con Balboa, fué gobernador de Guatemala, mató a Atahualpa, conquistó a Méjico).
4. De Soto _____ (fué el primer hombre blanco que cruzó el Misisipí, descubrió el Pacífico, organizó una expedición al Perú, descubrió Tenochtitlán).
5. Carlos V _____ (fundó el monasterio de Yuste, nació en Extremadura, fué nieto de los Reyes Católicos, no salió nunca de España).
6. Los mejores cuadros de Zurbarán muestran _____ (los

jardines del Alcázar de Sevilla, los golfos de Sevilla, los
monjes del monasterio de Guadalupe, la vida de la corte
de Felipe IV).

7. La ciudad actual de Mérida _____ (parece una fortaleza,
se ha declarado monumento nacional, fué fundada por los
árabes, está situada en el río Tajo).

8. Badajoz tuvo grande importancia durante la dominación
_____ (visigoda, celta, romana, árabe).

III. TEMAS PARA COMPOSICIÓN ORAL:

1. *La Noche Triste.*
2. Los monumentos romanos de Mérida.
3. La nueva obra pública en Badajoz.

CAPÍTULO XVIII *Patria Chica*

MURCIA

"¡VIVA MURCIA Y SUS JARDINES!"

MURCIA es una de las regiones españolas menos extensas. Está situada en la costa sudeste del Mar Mediterráneo y por eso la mayor parte de los pueblos conquistadores que llegaron a España del este de Europa o del norte de África pasaron por aquí. Los cartagineses, por ejemplo, escogieron[5] el magnífico puerto que daba a su gran ciudad, Cartago, para fundar otra ciudad, *Cartago Nova*, la Cartagena de hoy, probablemente en el siglo VI antes de Cristo. La historia de esta

153

ciudad ha sido muy variada: floreció bajo los cartagineses, los romanos y sobre todo bajo los árabes, pero después de la conquista por los cristianos decayó hasta que el rey Felipe II volvió a darle importancia como base naval por su puerto, uno
5 de los mejores puertos españoles del Mar Mediterráneo. Desde entonces Cartagena sigue siendo el centro de las operaciones navales españolas.

Como en otras regiones españolas, el paisaje es variado. Con la excepción de la estrecha llanura de la costa, la tierra
10 no es nada plana; hay colinas sin vegetación y en las altas mesetas a veces pasan ocho o nueve meses del año sin una gota de lluvia. Pero en la parte por donde pasa el río Segura con su sistema de canales o acequias que datan de los tiempos de los moros,[1] se admira la famosa huerta de Murcia. Aquí cul-
15 tivan un sinfín[2] de productos agrícolas como el azafrán, los pimientos,[3] los higos, las uvas, las aceitunas, las almendras y las naranjas. Esta sección del país tiene también minas de plomo, de plata y de zinc. Hay tanta abundancia de todo que aunque hay pobreza en Murcia, a lo menos nadie de la
20 huerta es pobre. La siguiente copla demuestra el entusiasmo que sienten los murcianos por su región:

> "¡Viva Murcia y sus jardines
> el tocador y el que canta
> y viva nuestra Patrona,
> la Virgen de la Fuensanta!"[4]

Muchos de los murcianos tienen facciones que indican su origen árabe; son de carácter fuerte pero no violento; son perseverantes, trabajadores, modestos y de costumbres mo-

---

[1] *como las acequias de Valencia*   [2] sinfín (sin fin)   great number
[3] pimientos   peppers
[4] Long live Murcia and its gardens
    he who plays and he who sings,
    and long live our Patroness
    the Virgin of Fuensanta (church).

deradas. Las mujeres tienen fama de muy bellas y de tener mucha gracia en su manera de hablar. Vale la pena hacer una visita a Murcia aunque no sea más que para admirar a sus mujeres. El dialecto murciano campesino, el panocho, contiene unos cuantos modismos que recuerdan su herencia oriental. 5 El deporte favorito de los huertanos son los bolos,[5] juego muy parecido al americano. También les gusta bailar y cantar al son de la guitarra. Por esta canción de cuna se ve que a las madres murcianas les cuesta tanto trabajo acostar temprano a sus hijitos como a todas las madres del mundo: 10

> Duérmete, niño mío,
> que viene el coco,[6]
> y se lleva a los niños
> que duermen poco.

Canto de Cuna

El río Segura pasa por la ciudad de Murcia, separando la parte vieja de la nueva. Vista desde lejos la ciudad, situada en medio de palmeras, cactos y azábaras,[7] con sus casas blancas

[5] bolos   game of nine-pins
[6] que viene el coco   because the bogey man comes
[7] azábaras   aloes, *plant of the lily family with a cluster of large white flowers*

y sus azoteas,[8] sus edificios de cúpulas azules, parece completamente oriental. Las norias,[9] construidas muchas de ellas en tiempo de los árabes, añaden otra nota mora. Algunas de estas norias, que se usaban para subir las aguas de los pozos
5 para las acequias, conservan todavía sus grandes ruedas de madera. En la ciudad misma los toldos,[10] que en el verano se extienden de un lado a otro de las dos calles principales para proteger a la gente del fuerte sol, hacen que esta parte de la ciudad parezca un bazar africano. La catedral barroca[11]
10 armoniza con la plaza donde está situada. La universidad de Murcia (1915) es de fundación muy reciente y sin embargo en sus facultades de Filosofía y Letras, de Derecho y de Ciencias han enseñado y dado conferencias algunos de los literatos y profesores españoles más importantes. La industria
15 de la sedería fué una de las que más florecieron aquí en tiempo de los árabes. Recientemente se ha establecido en Murcia un excelente laboratorio que estudia las maneras de revivir esta industria, que en los últimos siglos ha perdido importancia.

Una de las glorias de la Semana Santa en Murcia son
20 los "pasos" de Francisco Salzillo (1707-1783), escultor barroco murciano. Estas escenas de la Vida y Pasión de Cristo, sobre todo la de la *Oración del huerto,* son admirables por la expresión de la cara y la belleza de toda la creación. Es interesante que en Murcia, en vez de una feria después de Semana
25 Santa, como en Sevilla, se celebra una Batalla de Flores con un encantador desfile de carrozas[12] cubiertas de flores naturales.

En Murcia han nacido muchos hombres de talento, entre ellos dos inventores de renombre mundial. Juan de la Cierva (1895-1936), natural de la ciudad de Murcia, después de
30 muchos años de experimentación inventó el autogiro (nombre

---

[8] **azotea**   flat roof, terrace on top of house
[9] **norias**   *irrigating wheels sometimes turned by mule or donkey power*
[10] **toldos**   awnings   [11] **barroco**   *an ornate style of decoration*
[12] **desfile de carrozas**   parade of "floats"

español que todavía se usa para describir este tipo de avión). En Cartagena nació y vivió Isaac Peral (1851-1895), un marino e inventor que se dedicó a estudiar el problema de la navegación submarina e inventó el torpedero sumergible. En las letras es muy conocido Pero López de Ayala (1332-1409), 5 historiador y poeta cuyo *Rimado de palacio*[13] es una amarga sátira de la sociedad de su época.

Quizás lo que da más nombre a la ciudad de Albacete sean las navajas que, con las de Toledo, han alcanzado tantísima reputación. Son interesantes de aspecto: la hoja tiene la forma 10 de la antigua espada árabe; las hay de todos los tamaños desde dos o tres pulgadas hasta varios pies. La inscripción que a veces aparece en el mango de esta arma, "Si esta víbora te pica, no hay remedio en la botica," indica lo formidables que son sus efectos. Valdría más no reírse del dueño de una de esas 15 "víboras."

VOCABULARIO Y EXPRESIONES

la aceituna	olive	la gota	drop
acostar (ue)	to put to bed	el higo	fig
la almendra	almond	la hoja	blade
el avión	airplane	inventar	to invent
la botica	drug store	el inventor	inventor
contener	to contain, have	llevarse	to carry off, take away
decaer	to decline	perder (ie)	to lose
dormirse (ue, u)		picar	to prick
	to fall asleep, go to sleep	el pimiento	pepper
escoger	to choose	plano	flat
el escultor	sculptor	la rueda	wheel
las facciones		subir	to draw up, bring up
	features (of the face)		

a lo menos   at least   costar (ue) trabajo   to be hard (work)

[13] **Rimado de palacio**   *Palace Verse*

desde lejos from afar   **hacer una visita** to make (pay) a visit
valer más   to be better, be a good idea
reírse (i) de   to make fun of, laugh at

I. PREGUNTAS:

1. ¿Es muy grande Murcia?
2. ¿Por qué pasaron por esta región la mayor parte de los pueblos conquistadores?
3. ¿En qué siglo se fundó *Cartago Nova?*
4. ¿Por qué es importante hoy el puerto de Cartagena?
5. ¿Llueve allí tanto, por ejemplo, como en Galicia y Asturias?
6. ¿En qué respecto pueden compararse las regiones de Valencia y Murcia?
7. ¿Por qué no es pobre nadie en la huerta de Murcia?
8. ¿Cómo son los murcianos?
9. ¿Vale la pena visitar Murcia? ¿Para qué?
10. ¿Cuesta trabajo acostar temprano a los niños en Murcia?
11. ¿Qué dice la canción de cuna?
12. ¿Qué aspecto presenta la ciudad de Murcia vista desde lejos?
13. ¿Qué son las norias? ¿Qué nota añaden al paisaje?
14. ¿Qué se pone en el verano de un lado a otro de las calles principales?
15. ¿De qué estilo arquitectónico es la catedral?
16. ¿En qué año se fundó la Universidad de Murcia?
17. ¿Qué se ha establecido recientemente en esta ciudad?
18. ¿Por qué es famosa la Semana Santa? ¿Qué se celebra allí?
19. ¿Qué se celebra después de la Semana Santa?
20. ¿Por qué es muy conocida la ciudad de Albacete?

II. DE LA COLUMNA *B* ESCOJA UNA PALABRA QUE SE RELACIONE CON OTRA DE *A*:

A	B
Isaac Peral	huerta
deporte	plomo
navajas	base naval

A	B
Juan de la Cierva	laboratorio
sedería	Duérmete, niño mío
Felipe II	torpedero sumergible
minas	bolos
aceitunas	autogiro
murciano	Albacete
canción de cuna	perseverante

III. EN CADA CASO EXPLIQUE BREVEMENTE EN QUÉ CON-
SISTE LA RELACIÓN ENTRE LAS PALABRAS DE *A* Y *B* DEL
EJERCICIO ANTERIOR

CAPÍTULO XIX *Patria Chica*

LAS ISLAS CANARIAS Y LAS ISLAS BALEARES

"LAS ISLAS AFORTUNADAS"

Desde muy antiguo las tradiciones de los primitivos asiáticos mencionan la existencia de un continente, la Atlántida, que en una época remotísima se hundió en el Atlántico y del cual quedaron visibles sólo las cimas de sus altas montañas.
5 El escritor romano Plinio menciona una expedición a estas islas que tuvo lugar hacia el año 40 antes de Cristo, y fueron los romanos quienes pusieron el nombre de "Las Islas Afortunadas" al archipiélago, por el maravilloso clima y la belleza de su paisaje. Al decaer el imperio romano quedaron olvidadas
10 las islas hasta que los árabes las descubrieron de nuevo; más tarde pasaron a formar parte del territorio español en el reinado de los Reyes Católicos. Cristóbal Colón, en su primer

viaje al Nuevo Mundo hizo escala en la isla de Tenerife para
reparar una avería[1] en la *Pinta*. A partir de esa época los
barcos hacen escala aquí, y hoy día hacen escala también los
aviones con rumbo a la América del Sur, a África y a Europa.

Las Islas Canarias, situadas al noroeste de la costa de 5
África, se llaman así por los muchos perros (*canes*, en latín)
que en algún tiempo vivían allí y no por los pájaros que se
encuentran en estado salvaje en todas las islas del archipiélago;
al revés de lo que se cree, son los pájaros los que reciben el
nombre de las islas. Es interesante que en este "Paraíso de 10
Adán" no haya serpientes, ni insectos venenosos, ni animales
salvajes más grandes que el conejo.

Este archipiélago[2] consta de dos islas principales y otras
muchas de menor importancia. Son de origen volcánico y de
terreno muy variado; a veces están cubiertas de lava y rocas, 15
otras veces de arena como el desierto de Sahara, y de vez en
cuando se encuentra un oasis de vegetación como el Valle de
Orotava. La costa es irregular con numerosos cabos y puntas.
En las montañas varía la vegetación según la latitud. Entre
los árboles raros e interesantes se encuentra el *drago*,[3] cuya 20
copa parece un paraguas gigantesco y cuya savia es del color
de la sangre, y la *higuera religiosa* que tiene hojas que parecen
de encaje verde. Hay poca agua en todas las islas pero de vez
en cuando hay mucha niebla que se condensa y refresca un
poco la tierra; sin embargo, por un sistema especial de riego 25
los habitantes de las Canarias (los canarios) han logrado
cultivar tomates, patatas y plátanos, productos que exportan,
sobre todo a Inglaterra.

En la isla de Tenerife se eleva la montaña más alta en
tierra española, el Teide (de más de 12.000 pies), cono vol- 30

[1] **una avería**   some damage
[2] *que contiene las dos provincias españolas de Santa Cruz de Tenerife y
Las Palmas*
[3] **drago**   dragon tree

cánico cubierto de nieve en el invierno y rojizo[4] en los calurosos días del verano. Por su falta de vegetación le llaman al Teide *Monte Pelado*. El pico de este monte "invita a la contemplación pero no a la subida." A veces, cuando las faldas del 5 volcán están envueltas en niebla parece que su formidable pico flota en el aire.

Los habitantes indígenas, los guanches, eran de una raza blanca de parentesco bereber.[5] Los canarios de hoy[6] son más bien altos, morenos y de ojos negros. En cuanto a las canarias 10 en particular canta la copla:

> Todas las canarias son
> como ese Teide gigante:
> mucha nieve en el semblante
> y fuego en el corazón.

A Santa Cruz de Tenerife, capital de la isla de Tenerife, la han llamado "Muy Noble," "Muy Leal," e "Invicta," por su actitud frente a los varios invasores de la isla. La defensa más notable fué en el año 1797 contra el ataque de Horatio 15 Nelson en el que fué herido en el brazo el almirante[7] inglés. En la misma isla, a unas millas de Santa Cruz, está La Laguna, ciudad centro cultural de las islas.

Las Palmas, capital de Gran Canaria, ofrece un panorama encantador. Se extiende unas cinco millas desde la costa hasta 20 las colinas grises en cuyas faldas se ven las blancas casas de la parte más alta de la ciudad. Sus playas, sus hoteles modernos y de gran lujo y su clima ideal hacen que Las Palmas sea sitio de recreo[8] durante todo el año. La gloria de Las Palmas es que aquí nació Benito Pérez Galdós (1843-1920), novelista 25 e historiador de la España de su época.

[4] **rojizo**   reddish
[5] **de parentesco bereber**   related to the Berbers
[6] *la población de las islas según el censo de 1954 es de 793.329 habitantes*
[7] **almirante**   admiral   [8] **sitio de recreo**   vacation resort

Separadas de la costa de Valencia y Cataluña por un canal de unas 50 a 110 millas de ancho están las Islas Baleares, cumbres de montañas hundidas en el Mar Mediterráneo, extensión de las sierras de Andalucía. El archipiélago se compone de tres islas principales, Mallorca, Menorca, Ibiza, 5 y de otras menores.

Su historia es interesante y variada: fueron visitadas o conquistadas por los pueblos que estuvieron en la Península hasta que en 1228 Jaime *el Conquistador* tomó Mallorca a los árabes; pasó a manos de los ingleses en 1713[9] hasta que 10 fué reconquistada en 1782.

Como en las Canarias, hay escasez de lluvia pero el clima mediterráneo, templado tirando a cálido,[10] ofrece un cielo claro y bello. El paisaje atrae el interés del viajero por la variedad de árboles, sobre todo por sus almendros y sus olivos 15 milenarios.[11] Los muchos molinos que adornan el paisaje no se usan hoy pero le dan una nota característica al paisaje. La agricultura, la pesca y el turismo son las principales riquezas de las islas.

Palma, la capital de la provincia, está situada en Mallorca, 20 en una bellísima bahía siempre animada por el entrar y salir de barcos de todos los países. Junto a la bahía se eleva una imponente catedral gótica que fué comenzada después de la toma de Mallorca por Jaime I *el Conquistador*, pero que no fué terminada hasta el siglo XVIII. En las numerosas tiendas 25 de la ciudad se venden gran cantidad de artículos, entre ellos la famosísima cerámica que es una variedad de loza con esmalte,[12] obra original de la cerámica arábigo-española. También en la isla de Mallorca atraen las famosas cuevas de Artá con sus fantásticas estalactitas y estalagmitas. 30

[9] *desde la paz de Utrecht, el tratado que puso fin a la Guerra de Sucesión de España*
[10] **tirando a cálido** tending toward hot
[11] **milenario** millenary, thousand year old
[12] **con esmalte** with inlaid colors

En Palma nació Raimundo Lulio (1235?-1313?), filósofo catalán y uno de los más grandes místicos de la Edad
Media. Se metió monje franciscano y dedicó su vida a tratar
de convertir a los musulmanes al cristianismo. Su obra *Arte*
5 *Magna* es una defensa del cristianismo frente a la religión
musulmana.

Los mallorquines son aficionados a los bailes folklóricos.
Los trajes que llevan en estas ocasiones son sumamente pintorescos, y pintorescas también las largas trenzas[13] negras que
10 adornan la espalda de las mujeres. Si una bailarina quiere
llevar el pelo corto tiene que ponerse trenzas postizas[14] cuando
baila con el grupo.

VOCABULARIO Y EXPRESIONES

afortunado	fortunate	el lujo	luxury
el barco	ship	la niebla	fog, mist
el cabo	cape, headland	la patata	potato
el conejo	rabbit	refrescar	to refresh
el continente	continent	remoto	remote
convertir (ie, i)	to convert	reparar	to repair
envolver (ue)	to wrap, wrap up	la serpiente	snake
la escasez	scarcity	sumamente	very, extremely
la existencia	existence	el tomate	tomato
flotar	to float	variar	to vary
hundir	to sink	el volcán	volcano
el insecto	insect	volcánico	volcanic
la isla	island		

de nuevo	again	hacer escala	to stop (at a port, airfield, *etc.*)
	a partir de (esa época)		from that (time) on
	con rumbo a	on the way to	al revés de	contrary to

[13] **trenzas** braids   [14] **postizas** false

I. PREGUNTAS:

1. ¿Con qué continente se identifican las Islas Canarias, según la tradición?
2. ¿En qué año tuvo lugar la expedición mencionada por Plinio?
3. ¿Qué nombre pusieron los romanos a las islas? ¿Por qué?
4. ¿Qué es un archipiélago?
5. ¿En qué época pasaron a formar parte del territorio español las Islas Canarias?
6. ¿Qué famoso viajero hizo escala en la isla de Tenerife?
7. ¿De dónde viene el nombre de Islas Canarias?
8. ¿De cuántas islas consta el archipiélago? ¿Cómo se llaman las más importantes?
9. ¿Cuál es el origen de las islas?
10. ¿Cómo se llama la montaña más alta en tierra española?
11. ¿Cuál es el pico más alto de la España peninsular?
12. ¿Quiénes eran los guanches?
13. ¿Por qué merece Santa Cruz de Tenerife los títulos que se le han dado?
14. ¿Le gustaría a Vd. pasar un mes en Las Palmas? ¿Por qué?
15. ¿Qué gran escritor español nació allí?
16. ¿En qué se parecen las Islas Canarias y las Islas Baleares en cuanto a su origen?
17. ¿Cómo se llaman las tres islas principales de las Baleares?
18. ¿Qué sabe Vd. de su historia?
19. ¿Cuáles son tres notas de interés en el paisaje de las Islas Baleares?
20. ¿Cuáles son las principales riquezas de las islas?
21. ¿Dónde está situada Palma?
22. ¿Qué filósofo nació en Palma?
23. ¿A qué dedicó su vida?
24. ¿A qué clase de bailes son aficionados los mallorquines?

25. ¿Qué tiene que ponerse una bailarina de pelo corto si quiere bailar con un grupo?

II. COMPLETE ESTAS FRASES CON PALABRAS DEL TEXTO:

1. Las Islas Canarias se llaman "Las Islas Afortunadas" _____.
2. Cristóbal Colón hizo escala en la isla de Tenerife para _____.
3. Es interesante que en este "Paraíso de Adán" no _____, ni _____ venenosos.
4. Hay _____ agua en todas las islas.
5. Hoy día _____ en Tenerife también los aviones con _____ la América del Sur, a _____ y _____.
6. Separadas de _____ y _____ por un canal de _____ están las Islas Baleares.
7. Como en las Islas Canarias, hay _____ pero el clima mediterráneo, _____ tirando a _____, ofrece _____ claro y _____.
8. En la isla de Mallorca _____ las famosas _____ de Artá.
9. Por su _____ de vegetación le llaman al Teide "_____."
10. En Palma _____ Raimundo Lulio, filósofo _____ y uno de los más grandes _____ de la _____.

III. HABLE VD. SOBRE UNO DE LOS SIGUIENTES TEMAS:

1. "Las Islas Afortunadas."
2. La geografía de España.
3. La historia de España.
4. Las lenguas de España.
5. La región española que le haya interesado más.

VOCABULARIO

This vocabulary contains all the words in the text except the subject pronouns, diminutives and augmentatives, and proper names and titles explained in the text.

The article is not used with nouns except to differentiate them from the adjectives in case of a difference in the English meaning, and to indicate an exception to the basic rules for gender.

A

a to, at, in; *not translated when used as a sign of a direct object*

abajo below

abandonar to abandon

abarcar to include

Abderramán I (756-788), *first independent Arab ruler of Moslem Spain*

abdicar (en) to abdicate

abril, el April

abrir to open

abundancia abundance

abundante abundant

abundar to be abundant

acabar to end, finish; **— de** to have just

acariciar to caress

acaso perhaps

accidentado irregular

aceite, el olive oil

aceptar to accept

acequia canal

acerca de about, concerning

acercar to bring near; **—se(a)** to approach

acompañar to accompany

aconsejar to advise

acontecimiento event, happening

acostar (ue) to put to bed

acre, el acre

actitud attitude

actividad activity

activo active

acto ceremony; **en el —** immediately

actual present day

actualidad present time

acudir to come, go

acueducto aqueduct

Adán Adam

adaptación adaptation

adelantar to hasten

además furthermore; **— de** besides, in addition to

admirable admirable, excellent

admiración admiration

admirar to admire

adoptar to adopt

adorar to worship, adore

adornar to embellish, decorate

adorno ornament, decoration

adquirir to acquire
adversario opponent
aficionado, el fan
aficionado a fond of
afirmar to state
afluente tributary
afortunadamente fortunately
afortunado fortunate
África Africa
africano African
agosto August
agotar to exhaust
agradable agreeable
agradar to please
agreste rugged
agrícola agricultural
agricultura agriculture
agrupar to group
agua, el (f.) water
agujero hole
ahora now
aire, el air
aislado isolated
al = a + el; — + inf. on, when
alabanza praise
alano Alan
alargar to extend
Alas: Leopoldo Alas (1852-1901),
    "Clarín," Spanish writer
Álava province in northern
    Spain
alba, el (f.) daybreak, dawn
Albacete . city and province in
    southeastern Spain
Albéniz: Isaac Albéniz (1860-
    1909), Spanish pianist and
    composer
Alcalá de Henares city in the
    province of Madrid

alcalde, el mayor
Alcántara town in the province
    of Cáceres
alcanzar to reach, attain; to
    acquire
Alcarria section of New Castile
alcázar, el palace; fortress
alcornoque cork oak
aldea village
alegrar to gladden
alegre cheerful, gay
alegría happiness, joy
alejarse (de) to leave, move
    away
aleluya a light verse, a "jingle"
alemán German
Alemania Germany
alfabeto alphabet
Alfonso Alphonsus; — VI King
    (1072-1109) of Castile and
    León; — X el Sabio, King
    (1252-1284) of Castile and
    León; — XI, King (1312-
    1350) of Castile and León
algo somewhat; something
Alguer city in Sardinia
alguien someone
alguno (algún) some; pl. some;
    a few; — que otro an occa-
    sional
Alhambra Moorish palace in
    Granada
Alicante seaport and province in
    southeastern Spain
alimento food, nourishment
alma, el (f.) soul
Almadén city in southcentral
    Spain
almendra almond

almendro almond tree
Almería *province and city in southeastern Spain*
almirante, el admiral
alpargata *sandal made of hemp*
Alpes, los Alps
alrededor around; — de around
Altamira *site of a famous prehistoric cave in the province of Santander in northern Spain*
altar, el altar
alternar to alternate, to be mingled with
altiplanicie, la plateau
alto high; tall; en lo — on the top
altura height
Alvarado: Pedro de Alvarado (1485?-1541), *Spanish explorer*
allí there
amada, la lover, sweetheart
amado, el beloved, lover
amanecer, el dawn
amante, el lover
amante fond
amar to love
amargo bitter
amarillo yellow
ambición ambition
ambiente, el atmosphere
ambos both
América: — Central Central America; — del Sur South America
americano American
amigo friend; ser — de to be fond of
amo master
amor, el love

Ampurdán, el *territory in the province of Gerona*
ancho wide
Andalucía Andalusia, *region in southern Spain*
andaluz, el Andalusian
andaluz Andalusian
Andorra *small republic in the Pyrenees between Spain and France*
ángel, el angel
ángulo angle
Aníbal Hannibal
animación animation, excitement
animado lively
animal, el animal
animar to encourage; incite
Ansó *valley in the Pyrenees*
ante before, in the presence of
antepasado ancestor
anterior previous, prior
antes before; — de before; — que rather than
antiguamente formerly, in antiquity
antigüedad ancient times, antiquity
antiguo ancient, old
Antonio Anthony
añadir to add
año year; todos los —s every year; al — yearly
añoranza homesickness
apagar to quench; to put out, extinguish
aparecer to appear
aparición appearance, apparition
apartado distant

aparte apart, separate
apasionado emotional, passionate
apelar to appeal
apellido surname
aplaudir to applaud
aplicar to apply
apoderarse (de) to seize, take
  possession; to conquer
apogeo height
apóstol, el apostle
apreciar to appreciate
aprender to learn; — de memoria to learn by heart
aprendiz, el apprentice
aprovechar to make use of
aprovechamiento use
aproximadamente approxi-
  mately
aquel, aquella, that; pl. aque-
  llos, aquellas those
aquéllos the former
aquí here
aquilino aquiline, hooked
árabe, el Arab
árabe Arabian
arábigo-español Arabic-Spanish
arable tillable, arable
Aragón region in northeastern
  Spain, formerly a kingdom;
  Agustina de Aragón Spanish
  heroine
aragonés, el native of Aragon
aragonés Aragonese
Aranjuez town in the province
  of Madrid
árbol, el tree
arbusto shrub
arco arch
archipiélago archipelago

archivo archive
arder to burn
arena sand
argamasa mortar
argumento argument, subject
árido arid
arma weapon, arm
armada fleet, navy
armonía harmony
armonizar to harmonize
arquitectónico architectural
arquitectura architecture
arrancar to pull out
arriba above
arrodillarse to kneel
arrojar to expel
arroyo brook
arroz, el rice
Artá town in Majorca
arte, el, art; —s, las arts
artículo article
artista, el artist
artístico artistic
asegurar to assure, assert
asesinar to assassinate
así so, thus; just
asiático, el Asiatic
asistir (a) to attend, be present
  (at)
asombrar to astonish
aspecto way; aspect, appearance
áspero rugged
aspiración aspiration
aspirar to aspire
astillero shipyard
Astorga city in the province of
  León
asturiano, el native of Asturias
asturiano Asturian

Asturias *former kingdom and now a province in northern Spain*
asunto subject, topic
asustar to frighten
atacar to attack
ataque, el attack
atar to tie
Atenas Athens, *capital of Greece*
atención attention
Atlántico Atlantic Ocean
Atlántida *legendary lost continent supposedly in the Atlantic*
atraer to attract
atribuir to attribute
aumentar to increase
aun, aún still, even
aunque although
austero austere
Austria Austria *country in central Europe, imperial house*
auto writ, legal document
auto de fe auto da fe
autogiro autogiro, autogyro
autor, el author
autoridad authority
avanzar to advance
avellana hazelnut
avenida avenue
aventura adventure
aventurero, el adventurer
aventurero adventurous
avería damage
Avila *city in the province of Avila in westcentral Spain*
avión, el airplane
avisar to warn
ayer yesterday
ayuda help

ayudar to help
ayuntamiento town hall
azábara aloe
azafrán, el saffron
Azorín: see **Martínez Ruiz, José**
azotea flat roof
azteca, el Aztec
azucarero sugar producing
azucena white lily
azul, el blue
azulejo glazed tile

B

Babieca: *name of the Cid's horse*
bacalao codfish
Bach: Johann Sebastian Bach (1685-1750), *German musician and composer*
Badajoz *city and province in southwestern Spain*
bahía bay
bailar to dance
bailarín, el dancer
bailarina, la dancer
baile, el dance
bajar to go down, descend
bajo low; under
balcón, el balcony
Baleares, las: Islas Baleares Balearic Islands, *a province of Spain in the Mediterranean, off the eastern coast of Spain*
ballet, el ballet
bañarse to bathe
baño bathing-place
barba beard
bárbaro barbarian

Barcelona: *seaport city and province in northeastern Spain*
barco steamer
Baroja: Pío Baroja (1872-), *Spanish novelist*
barraca cabin
barrio district, section
barroco baroque
basar to base
base, la base
bastante enough; quite; quite a bit
bastar to be sufficient
batalla battle
bazar, el bazaar
beber to drink
Bécquer: Gustavo Adolfo Bécquer (1836-1870), *Spanish poet*
béisbol, el baseball
belleza beauty
bello beautiful
bendecir to bless
bendito (*p.p. of* bendecir) blessed
bereber, el Berber
Besós *river north of Barcelona*
Bética *former Roman province in southern Spain; now Andalusia*
biblioteca library
bien well; más — rather
Bilbao *province and seaport city in northern Spain*
bilingüe bilingual
billete, el bill
bisonte, el bison
blanco white

Blasco: Vicente Blasco Ibáñez (1867-1928), *Spanish novelist*
blusa shirt
Boabdil *last Moorish king of Granada*
boina beret
bolos, los game of nine pins
Bonaparte: José Bonaparte, *king of Spain* (1808-1813)
Bonaparte: Napoleón Bonaparte (1769-1821), *emperor of France*
Bonet: Juan Pablo Bonet (1560-1621), *inventor of the alphabet to teach the deaf and dumb*
bonito pretty
Borbón Bourbon, *royal house*
bordear to border
bosque, el wood, grove
botica drug store
Brasil, el Brazil, *country of South America*
bravo rugged
brazo arm
Bretón: Tomás Bretón (1850-1923), *modern Spanish composer*
breve brief; —mente briefly
brillar to shine, gleam
brincar to jump
brinco jump
brotar to spring forth
bueno (buen) good
bullicio bustle, noise
Burgos *city in the province of Burgos in northcentral Spain*
burlesco comical
busca search

buscar to fetch
busto bust

C

cabalgar to ride
caballero gentleman, knight
caballo horse
caber (en) to belong, fit
cabeza head
cabezudo, el *large-headed figure*
cabezudo headstrong
cabo cape
Cáceres *province and city in Extremadura*
cacto cactus
cada each, every
Cádiz *seaport city and province in southwestern Spain*
caer to fall
caída fall
caja box
calabozo dungeon
Calderón de la Barca: Pedro Calderón de la Barca (1600-1681), *Spanish dramatist*
cálido hot
califato caliphate
caluroso hot
calle, la street
cambiar to change
cambio change, exchange
camino way, road; — a on the way to
camisa shirt
campesino peasant, farmer
campo country; *pl.* fields
canal, el canal
Canarias, las: Islas Canarias

Canary Islands, *composing two provinces of Spain: Santa Cruz de Tenerife and Las Palmas*
canario, el native of the Canary Islands; canary (bird)
canción song
candil, el oil lamp
canonizar to canonize
cansado tired out
cansar to tire
Cantábrico Bay of Biscay
Cantábricos, los Cantabrian Mountains, *extending along the Bay of Biscay*
Cantar, el song, epic poem; — de mío Cid *Poem of the Cid*
cantar to sing
cantidad quantity, large amount, number
cañón, el cannon
capacidad capacity
capilla chapel
capital, la capital
capitán, el captain
capitel, el capital
capítulo chapter
cara face; de — a facing
carabela caravel, *type of sailing vessel*
carácter, el character
característica, la characteristic
característico characteristic
caracterizar to characterize, give character to
carbón, el coal
cárcel, la jail, prison
carecer (de) to lack

Cariñena *city in northeastern Spain*

Carlomagno Charlemagne

Carlos Charles; — V (1517-1558), *crowned King of Spain (1517) as Charles 1 and Emperor of the Holy Roman Empire (1519) as Charles V;* — **II** Charles II, *King of Spain (1666-1700);* — **IV** Charles IV, *King of Spain (1788-1808)*

carmelita Carmelite

carrera race

carretero driver

carroza float

carta letter

Cartagena *seaport city in southeastern Spain*

cartaginés, el Carthaginian

cartaginés Carthaginian

Cartago Carthage, *ancient city in the north of Africa;* — **Nova** New Carthage, Cartagena, *in Spain*

casa house

Casals: Pablo Casals (1876-), *Spanish violoncellist*

casamiento marriage

casarse (con) to marry

caseta booth, box

casi almost

caso case; **en todo —** in any case

castaño chestnut tree

castellanizado Castilianized

castellano Castilian

Castellón de la Plana *city and province in eastern Spain*

Castilla Castile, *former kingdom in northcentral and central Spain;* — **la Vieja** Old Castile; — **la Nueva** New Castile

castillo castle

Castro: Rosalía de Castro (1837-1885), *Galician poet*

casualidad coincidence

catalán, el Catalan (language)

catalán Catalonian

Cataluña Catalonia, *region in northeastern Spain*

catedral, la cathedral

catolicismo Catholicism

católico Catholic

catorce fourteen

Cáucaso Caucasus

causa cause; **a — de** because of

causar to cause

caza game

cebolla onion

celebrar to celebrate

célebre celebrated, famous

celta, el Celt

celtíbero Celt-Iberian

ceniza ash

censo census

centavo cent

centinela sentry

central central

centro center

cerámica ceramics

cerca near; **— de** near

cercano near by

Cerdeña Sardinia

cerdo pig

cereal cereal, grain

ceremonia ceremony

Cervantes: Miguel de Cervantes Saavedra (1547-1616), *greatest Spanish writer*
cerrar (ie) to shut
cesta basket
ciclópeo cyclopean, massive
Cid *title given to* **Rodrigo Díaz de Vivar** (1040?-1099)
cielo sky; heaven
ciencia science
ciento hundred, one hundred; **por —** per cent
cierto a certain
Cierva: Juan de la Cierva (1895-1936) *Spanish aviator, inventor of autogiro*
cigarrillo cigarette
cima peak
cinco five
cincuenta fifty
circunstancia circumstance
ciudad city
Ciudad Real *city and province in central Spain*
civil civil
civilización civilization
Clamores, el *river in the province of Segovia*
Clarín: *see* **Alas, Leopoldo**
claro light; clear, transparent
claro of course
clase, la class, kind; **toda — de** all kind of
clásico classical
clasificar to classify
claustro cloister
Clavé: José Anselmo Clavé (1824-1874), *Spanish musician and composer*

clima, el climate
cobre, el copper
coco bogey man
cofradía brotherhood, *religious organization*
coger to hold
Cogul *town in the province of Lérida*
colección collection
colgar (ue) to hang
colina hill
Colón: Cristóbal Colón Christopher Columbus (1451-1506), *discoverer of the New World*
colonia colony
colonización colonization
colonizador, el colonizer
colonizar to colonize
colono colonist
color, el color
columna pillar, column
comarca district, region
combinación combination
comenzar (ie) (a) to begin
comer to eat
comercial commercial
comerciante, el merchant
comercio commerce
cómico comical
comitiva group
como since, like, as
¿cómo? how
compañero companion
compañía company
comparación comparison
comparar to compare, vie
compartir to share
competente capable
competir (i) to compete

completamente entirely, completely

completar to fill in, complete

completo entire, complete

componer to form

composición composition

compositor, el composer

comprar to buy

comprender to understand; to be comprised of

comprensible comprehensible

comprensión comprehension, understanding

común common

comunicación communication

con with

concierto concert

concha shell

condado county, earldom

conde, el count

condensar to condense

condición condition

conejo rabbit

conferencia lecture

conflicto conflict, problem

conmemorar to commemorate

cono cone

conocer to know; **dar a —** to introduce, present

conquista conquest

conquistador, el conqueror

conquistar to conquer

consciente conscious

conservar to keep, have, preserve

considerar to consider

consigo with it

consistir (en) to consist (of)

constante loyal, constant

Constantinopla Constantinople, *modern* Istambul

constar to consist

construcción construction, building

construir to construct, build

contacto contact

contar (ue) to tell

contemplación contemplation

contemplar to view

contemporáneo contemporary

contener to contain, be comprised of

contentarse to be satisfied

contento happy, cheerful

contestar to answer

continente, el continent

continuar to continue

continuo continual

contra against

contrastar to contrast

contraste, el contrast

contribución contribution

contribuir to contribute

convencer to convince

convenir to be fitting

convento convent

convertir (ie, i) to convert, change

convivencia living together

copa wineglass; treetop

copia replica

copla popular song

coral choral

corazón, el heart

corcho cork

Cordillera mountain range; **— Ibérica,** *running from north to southeast*

Córdoba Cordova, *city and province in southern Spain*

coro chorus; choir

corona crown

correr to run, flow

corrida race, run; — **de toros** bullfight

corriente common

corro circle

corrupción corruption

cortar to cut

corte, la court

cortés courteous

Cortés: Hernán Cortés (1485-1547), *conqueror of Mexico*

cortesía courtesy

corto short

Coruña *province in northwestern Spain*

cosa thing

cosecha harvest

cosmopolita cosmopolitan

costa coast

costar (ue) to cost; — **trabajo** to be hard work

costumbre, la custom

Covadonga *village in the province of Oviedo*

creación creation, work

crear to create

crecer to grow

creer to believe

Creta Crete, *island in the eastern Mediterranean Sea*

cría raising

criado (*p.p. of* **criar**), created

criador, el creator

criar to raise; create

cristianismo Christianity

cristiano Christian

Cristo Christ

crítico, el critic

crítico critical

crueldad cruelty

cruz, la cross

Cruz: San Juan de la Cruz (1542-1591), *Spanish mystic writer*

cruzar to cross

cuadrado square

cuadro picture, painting

cual which; **la cual** which; **lo —** which

¿cuál? ¿cuáles? which? what?

cuando that, when

¿cuándo? when?

cuanto as much as; **en — a** in regard to; **unos cuantos** a few

¿cuántos? ¿cuántas? how many?

cuarto fourth

cuatro four

cuatrocientos four hundred

Cuba Cuba, *island north of the Caribbean Sea*

cubierto (de) (*p.p. of* **cubrir**) covered (with)

cubrir to cover

cuello neck

Cuenca *city and province in eastcentral Spain*

cuento story

cuerda rope

cuerno horn

cuerpo body

cueva cave

cuidado care

cultivar to cultivate

cultivo cultivation
culto, el cult, devotion
culto learned, cultured
cultura culture
cultural cultural
cumbre, la top, summit
cumplir fullfil
cuna cradle
cúpula dome
curativo medicinal
curioso curious
cuyo whose

Ch

charlar to chat
chico, el child
chico small, tiny; chiquita (*di-
minutive of* chica) very small
chirrido creaking

D

Dalí: Salvador Dalí (1904-   ),
Spanish painter
dama lady, woman; — de Elche
Lady of Elche, *piece of Iberian
sculpture*
danza dance
dar to give; — a to face;
— fin a to finish, end; — la
hora to strike the hour;
— cara a to face each other;
—se to take place; —se a
conocer to become known
Darro *river in the province of
Granada*
datar to date
dátil, el date
de of; by; from; in; than; to
debajo under; — de under

deber to owe; to be due to
debidamente justly
débil weak
decaer to decline
decidir to decide
decir to say; es — in other
words
decisión decision
decisivo decisive
declarar to declare
dedicar to dedicate; —se a to
devote oneself to
defender to defend
defensa defense
definitivamente once and for all
dejar to let, allow; leave; no —
de never fail to
del = de + el
delante (de) in front (of)
delicado delicate, exquisite
delicia delight
delicioso delicious
demás: los — the rest
demostrar (ue) to show
dentro inside, within; — de
within
departamento province (*in
France*)
depender to depend; — de to
be under the rule of
dependiente dependent
deporte, el sport
derecho right; law
derivar(se) to be derived (from)
derrota defeat
derrotar to defeat
desaparecer to disappear
desarrollar to develop
descansar to rest

descendiente, el descendant
desclavar to unnail
descolorido colorless
desconocido unknown
describir to describe
descripción description
descrito (*p.p. of* describir) described
descubridor, el discoverer
descubrimiento discovery
descubrir to discover
desde from, since; — niños from childhood
desembarcar to disembark
desembocadura mouth (*of a river*)
desembocar to flow into, empty
desfile, el parade
desgraciado unfortunate
deshacer to undo; — se de to get rid of
desierto desert
despejado cloudless
despertar (ie) to awaken, arouse
despierto (*p.p. of* despertar) awake
despoblado uninhabited
después afterwards, later; — de after
destacar(se) to stand out; bring out
desterrar (ie) to exile
destierro exile
destruir to destroy
detalle, el detail
devoción devotion
devoto devout
día, el day; todos los —s every day; hoy — nowadays

Diablo, el the Devil
dialecto dialect
diariamente daily
diario daily
Díaz de Vivar: *see* Cid
dibujo drawing
diciembre, el December
dicho old saying, proverb
dicho (*p.p. of* decir) said
dieciséis sixteen
diez ten
diferencia difference
diferenciar to distinguish, differentiate; —se to be different
diferente different; (*pl.*) several
difícil difficult
dificultad difficulty
difunto dead
dignidad dignity
digno dignified; worthy
dimensión dimension
Dios God, The Lord
dirección direction
directo direct
dirigir to direct, lead; —se a to turn to, address
discípulo pupil
discurso speech
disponer to prepare; —se a to get ready to
dispuesto (*p.p. of* disponer) ready
distinguir to distinguish
distinto different
distribución distribution
diversión amusement
diverso different, diverse

divertir (ie, i) to amuse; —**se** to have a good time
dividir to divide
divino divine
doce twelve
doctrina doctrine
documento document
dólar, el dollar
dominación domination, rule, power
dominar to dominate, rule
domingo Sunday; — **de Ramos** Palm Sunday
dominio domination, control
don Don, *title of respect used before a man's first name*
doncella lady-in-waiting
donde where
¿dónde? where?
Don Quijote de la Mancha: El Ingenioso Hidalgo don Quijote de la Mancha *a novel, Cervantes' masterpiece*
doña *title used only before a lady's first name*
dorado golden
dormirse to fall asleep
dos two; **los** — both
doscientos two hundred
drago dragon tree
drama, el drama, play
dramaturgo dramatist
ducado duchy
duda doubt
dueño owner
Duero *river running westward through Spain and Portugal*
dulce sweet
duque duke

durante during
duro, el dollar, *a Spanish coin worth five pesetas*
duro hard

E

e and (*before words beginning with i or hi*)
Ebro *river in northeastern Spain*
economía economy
económico economical
echar throw, pour; — **de menos** to miss
edad age; **Edad Media** Middle Ages
edificar to build
edificio building
educar to educate
efecto effect
ejemplo example
ejército army
el the; — **de** that of; — **que** which, the one who
Elcano: Juan Sebastián de Elcano (d. 1526), *Spanish navigator, first to circumnavigate the globe*
Elche *city in the province of Alicante*
elegir (i) to elect
elemento element
elevación height
elevado high, lofty
elevar to raise
Elíseos Elysian
ella it
embalsamar to embalm
embutido sausage
emérito emeritus

emigración emigration
emigrante, el emigrant
empanada meat pie
emparrado arbor
emperador, el emperor
empezar (ie) (a) to begin (to)
Emporion *old Greek colony on the northeast coast of Spain*
emprendedor enterprising
emprender to start, undertake
empresa enterprise, undertaking
en in, at, on
enamorado, el lover
enamorado (de) in love (with)
enamorar to inspire love in
encaje, el lace
encantador charming, delightful
encantar to enchant, delight
encanto charm
encerrar (ie) to enclose, contain
encierro *"running" of bulls in Pamplona*
encontrar (ue) to find; —se to be; —se con to find out
enemigo enemy
enérgico strenuous; enterprising, energetic
enero January
enorme huge, enormous
enriquecer to enrich
ensayista, el essayist
enseñar (a) to teach
entender (ie) to understand
enteramente entirely
enterrar (ie) to bury
entierro burial
entonces then; de — of that time
entrar (en) to enter

entre between, among
entusiasmo enthusiasm
envolver (ue) to envelop
envuelto (*p.p. of* envolver) enveloped
épico epic
epigrama, el epigram
época age, period
equipo team
Eresma *tributary of the Duero river*
ermita hermitage
ermitaño hermit
esbelto slender
escandinavo Scandinavian
escasez, la scarcity
escaso scarce, little, scant
escena scene
escenario stage
escocés Scotch
Escocia Scotland
escoger to choose
esconder to hide
Escorial (El) *town near Madrid famous for its monastery*
escribir to write
escrito (*p.p. of* escribir) written
escritor, el writer
escuchar to listen
escudo coat of arms
escuela school
escultor, el sculptor
ese, esa that; *pl.* esos, esas those
esfuerzo effort
esmalte, el enamel
eso that; por — for that reason
espada sword
espalda back

espantar to frighten
España Spain
español, el Spaniard
español Spanish
esparcir to scatter
espárrago asparagus
especial special
especie, la kind
espectador, el spectator
esperar to await, wait for; to
  hope
espeso luxuriant
espiga spike (*of grain*)
espíritu, el spirit
espiritual spiritual
espléndido splendid, excellent
espontáneo spontaneous
esposa wife
esposo husband
ésta this one
establecer to establish
estación station; season
estado state; condition
Estados Unidos United States
estalactita stalactite
estalagmita stalagmite
estaño tin
estar to be
estatua statue
estatura height
este, el east
este, esta this; *pl.* estos, estas
  these
estilo style
esto this; por — for this reason
estoico stoic, stoical
estrecho strait; narrow
estrella star

estrofa stanza
estructura structure, arrange-
  ment, formation
estuco stucco
estudiante, el student
estudiar to study
etc. (etcétera) and so forth
eterno eternal, everlasting
Europa Europe
europeo European
eúscaro Basque
evidente evident
evitar to avoid
excavación excavation
excelente excellent
excepción exception; a — de
  with the exception of
excepto except
exclusivo exclusive
excursión excursion, trip
existencia existence
existir to be, exist
éxito success
expansión expansion
expedición expedition
experimentación experiment
explicación explanation
explicar to explain
explorador, el explorer
explotar to exploit
exportación exportation
exportar to export
exposición exposition, fair
expresar to express
expresión expression
expulsar to expel
exquisitamente exquisitely
exquisito delicious, exquisite

éxtasis, el ecstasy
extender (ie) to extend; —se to
spread out (over)
extensión extension
extenso extensive, vast
exterior outside
extranjero foreigner
extrañar to surprise, seem
strange
extraño strange
extraordinario extraordinary
extremado extreme
Extremadura *region in western
Spain*
extremeño, el native of **Extremadura**
extremo extreme, end

F

fábrica factory
fabricación manufacture
fabricar to manufacture
facciones (*pl.*) features
fácil easy
fachada façade, front
facultad school
falda slope; skirt
Falla: Manuel de Falla (1876-
1946), *Spanish composer*
falta lack
faltar to lack
faltriquera pocket
fama reputation
familia family
famoso famous
fanático fanatic
fantástico fantastic
farol, el street light

fascinador fascinating, charming
fascinar to fascinate
favorable favorable
favorito favorite
fe, la faith
Felipe Philip; — II Philip II
(1527-1598), *Spanish King*
(1556-1598); — IV Philip IV
(1605-1665), *Spanish King*
(1621-1665); — V Philip V
(1683-1746), *Spanish King*
(1700-1746)
feliz happy
fenicio Phoenician
feria fair
Fermín (San) *Patron Saint of
Pamplona*
Fernán González *Castilian hero*
(932-970)
Fernando Ferdinand; — I *first
King of Castile and Leon*
(1037-1065); — III el Santo
King of Castile and Leon
(1217-1252); — el Católico
King of Spain (1479-1516)
ferrocarril, el railroad
fértil fertile
fertilidad fertility
fiesta feast, holiday, festival;
party
Figueras *city in the province of
Gerona*
figura figure
fijarse (en) to notice
Filipinas, las: Islas **Filipinas**
Philippine Islands
filosofía philosophy
filósofo philosopher

fin, el end, objective; **a fines de** toward the end of; **al —** at last; **dar — a** to end; **por —** finally

financiero financial

fiordo fiord

físico physical

flamenco Flemish; *type of Andalusian gypsy music and dance*

Flandes Flanders, *former county in the Low Countries*

flecha arrow

flor, la flower

florecer to flourish

floreciente flourishing

flotar to float

folklórico folk, folkloric

fondo bottom; background; **a —** thoroughly

forma shape

formación formation, development, beginning

formar to form, make up

formidable formidable

fortaleza fortress; strength, fortitude

fortificar to fortify

fortuna fortune

fraile, el friar

francés, el French

Francia France

franciscano Franciscan

franco Frank

franco frank

frase, la sentence

frente, el front; **— a** against

frente, la forehead

fresa strawberry

fresco, el coolness

fresco cool

frío cold; **tener —** to be cold

frontera boundary, border

frontón, el court

fruta fruit

frutal fruit bearing

fruto fruit

fuego fire

fuelle, el bellows

fuente, la fountain; source

fuera outside; **— de** outside of

fuero *see note 5, ch. x*

fuerte strong

fuerza strength, power; electric power

fundación founding, foundation

fundar to establish, found

fundición foundry

fúnebre funereal

fútbol, el football

G

gaita bagpipe

gaitero bagpiper

gala gala, festive

galería gallery

Galias Gaul (France)

Galicia *region in northwestern Spain*

gallego, el Galician language

gallego Galician

ganas: tener — de to feel like, wish

ganado cattle

ganar to win; to be ahead of; **—se la vida** earn one's living

García: Antonio García Gutiérrez (1813-1884), *Spanish dramatist*
gastador extravagant
gato cat
generación generation
general, el general
general general; **en —** generally, as a whole
generoso generous
gente, la people
geografía geography
geográfico geographical
germánico Germanic
Gerona *city and province in northeastern Spain*
Gibraltar Gibraltar (Strait)
gigante, el giant
gigante gigantic
gigantesco gigantic
Gijón *city in northern Spain*
Giralda *Moorish tower in Seville*
gitano gypsy
gloria glory
glorioso glorious
gobernador, el governor
gobernante, el ruler
gobierno management; government
golfo street urchin
golondrina swallow
gorguera ruff
gota drop
gótico Gothic
Goya: Francisco Goya y Lucientes (1746-1828), *Spanish painter*
gozar (de) to enjoy
grabado illustration

gracia charm, grace; **—s a** thanks to
gracioso humorous, funny
Granada *city and province in southern Spain*
granadino native of Granada
granado pomegranate tree
Granados: Enrique Granados (1868-1916) *Spanish composer*
grande (gran) large, big, great
grandeza greatness
grandioso magnificent
granero granary
granito granite
grano grain
grave serious
Grecia Greece
Greco, El The Greek, *name given to* Domenico Theotocópuli (1537-1614), *famous Spanish painter*
griego, el Greek
griego Greek
gris grey
grito cry
grupo group
Guadalajara *city and province in central Spain*
Guadalete *river in southwestern Spain, site of battle in 711*
Guadalquivir, el *river in southern Spain*
Guadalupe *town in the province of Cáceres*
Guadiana, el *river in Spain and Portugal that flows into the Atlantic*
guanche, el *inhabitant of the*

*Canary Islands at the time of
their conquest*
guardar to keep; — **cama** to
stay in bed
Guatemala *country in Central
America*
Guayanas Guianas, *European
colonies in South America*
guerra war
guerrero, el warrior
guerrero warlike
guía, el guide
Guipúzcoa *province in northern
Spain*
guitarra guitar
guitarrista, el guitar player
gusano worm
gustar to like
gustoso tasty

H

haber to have (auxiliary); **hay**
there is (are); — **de** to be to;
hay que it is necessary
habilidad ability, skill
habitante, el inhabitant
habitar to inhabit
hablar to speak
hacer to do, make; — + *period
of time* ago; — **calor (frío)** to
be warm (cold); — **escala** to
stop at a port, airport; — **una
visita** to pay a call, visit
hacia towards; about
hallar to find
hambre, el (*f.*) hunger; **tener** —
to be hungry
harina flour
Hartzenbusch: Juan Eugenio

Hartzenbusch (1806-1880),
Spanish dramatist and poet
hasta until; as far as; — **que**
until; as many as
hay *see* **haber**
hazaña deed
hebreo Hebrew
hecho event, deed
Hércules Hercules
heredar to inherit
heredero heir
herencia heritage
herir (ie, i) to wound
hermano brother
hermoso beautiful
hermosura beauty
Herodes Herod
héroe, el hero
heroico heroic
heroísmo heroism
Hesperia *name given to Spain
by the ancient Greeks*
Hespérides Hesperides, *mythical
garden in the extreme west in
which grew the golden apples*
hierba herb, grass
hierro iron
higo fig
higuera fig tree
hija daughter, child
hijo son, child; Junior
hispanorromano Hispano-
Roman
hispano-visigodo Spanish-Visi-
goth
historia history
historiador, el historian
histórico historical
hoja blade; leaf

hombre, el man
honesto honorable
honor, el honor
honra, honor
hora hour; time
Horacio Horatio
horizonte, el horizon
horror, el horror
hotel, el hotel
hoy now; today
hueco puffed
Huelva *province in southwest-ern Spain*
huerta orchard; irrigated land
huertano inhabitant of la huerta
huerto orchard, garden
Huesca *city in the province of Huesca in northern Spain*
huir to flee, run away
humano human
húmedo damp
humilde humble, simple
hundir to sink

I

Iberia Iberia, Spain
ibérico Iberian
ibero Iberian
Ibiza Iviza, *one of the Balearic Islands*
idea idea
ideal ideal
idealismo idealism
idealista idealist
identificar to identify
idioma, el language
iglesia church
igual equal; — que like
ilustre illustrious

imagen, la image, statue
imitación imitation
impedir (i) to prevent
imperio empire
imponente impressive, imposing
imponer to impose
importancia importance
importante important
importar to import
imposible impossible
impresión impression; emotion
impresionar to impress
impulsar to compel
Inca, El: Atahualpa, *King of ancient Peruvians*
incidente, el incident
incluir to include
incluso including
incomprensible incomprehen-sible
independencia independence
independiente independent
indicar to indicate, point out
índice, el index
indígena, el native
individualidad individuality
individualismo individualism
individuo individual
industria industry
industrial industrial
inesperado unexpected
inferior lower
infierno hell
infinidad a great many
influencia influence
influir to influence
ingenio ingenuity, cleverness
Inglaterra England
inglés English

injusticia injustice
inmenso immense
inmortal immortal
inolvidable unforgettable
inquieto restless
inquietud restlessness
inscripción inscription
insecto insect
inseguridad insecurity
inseparable inseparable
insignificancia insignificance
insistir (en) to insist (on)
inspirar to inspire; —se en to
   find inspiration in
instrumento instrument
intacto intact
inteligente intelligent
intensamente deeply, intensely
intenso deep, intense
interés, el interest
interesado concerned
interesante interesting
interesar to interest
interior inner, interior, inside,
   internal
interjección interjection
interminable endless
internacional international
interpretación interpretation
interpretar to interpret
inundación flood
invadir to invade
invasión invasion
invasor, el invader
invencible invincible
inventar to invent
inventor, el inventor
invertir (ie, i) to invert, reverse
investigar to investigate

invicto invincible
invierno winter
ir to go
Irlanda Ireland
irlandés Irish
irregular irregular
Isabel Isabella; — de Castilla
   Isabella of Castile, see reyes
Isidro Isidor;   San — Labrador
   Patron Saint of Madrid
isla island
islam, el Islam
Italia Italy
italiano, el Italian (language)
italiano Italian
izquierdo left

J

Jaén city and province in southern Spain
jai alai, el Basque game
Jaime James; — I el Conquistador, King of Aragón (1213-
   1276)
jardín, el garden
Javier: San Francisco Javier
   (1506-1552), Saint Francis
   Xavier
jefe, el leader
Jerez city in southwestern Spain
   famous for its sherry wine
Jerusalén Jerusalem
jesuita, el Jesuit
Jesús Jesus
Jijona city in the province of
   Alicante
Jimena wife of the Cid
José Joseph
jota Aragonese dance and tune

joven young; **el —** the young man; **la —** the young woman
joya jewel
joyero jeweler
Juan John
judío, el Jew
judío Jewish
juego game
jueves, el Thursday
juez, el judge
jugador, el player
jugar (ue) to play
julio July
junio June
junto near; **— a** near; *pl.* together
jurar to swear
justamente precisely
justo just
juzgar to judge; **a — por** to judge by

K

kilómetro *kilometer (about 0.62 of a mile)*

L

la the, it; her; **— de** that of; **— que** the one who (which)
laboratorio laboratory
labrador, el farmer
labrar to plow
lado side
ladrillo brick
lago lake
Laguna (La) *city on the island of Tenerife, Canary Islands*
lanzar to throw, hurl
largo long; **a lo — de** along

las the, them; **— que** those which (who)
lástima pity
latín, el Latin language
latino Latin
latitud latitude
lava lava
lazarillo blind man's guide
Lázaro Lazarus
lazo bond
le to him; him, to her
leal loyal
lección lesson
leer to read
lejano far away, distant
lejos far; **— de** far from; **a lo —** in the distance; **de (desde) —** from afar
lengua language
lentamente slowly
león, el lion
León *city, province and region in northwestern Spain*
León: Fray Luis de León (1527-1591), *Spanish poet and mystic*
leonés Leonese
Lepanto *entrance into the Gulf of Corinth, Greece. Site of the battle of Lepanto (1571)*
Lérida *city and province in northeastern Spain*
les to them; them
letra letter; words of a song; **—s** letters, literature
levantamiento uprising
levantar to raise; **—se** to get up; rise up
ley, la law
leyenda legend

libre free
libreto libretto
lidia bullfight
ligero light
limitar (con) to be bounded by
limón, el lemon
limonero lemon tree
limpio clean
lírico lyric, lyrical
literato writer, man of letters
literatura literature
lo it; the; — que what, that which
localidad locality
loco crazy
lograr to succeed in; to get, gain, win, achieve
Logroño *city and province in northern Spain*
longitud length
lonja exchange
López: Pero López de Ayala (1332-1409), *Spanish historian and poet*
Lorenzo Lawrence
los the; them; — de those of; — que those who
Loyola: Ignacio de Loyola Saint Ignatius of Loyola (1491-1556), *founder of the Jesuit Order*
loza pottery
Lucas Luke
lucir to display
lucha fight, struggle
luchar to fight
lugar, el place; tener — to take place

Lugo *city and province in northwestern Spain*
lujo luxury
Lulio: Raimundo Lulio (1235?-1315?), *Catalonian religious philosopher*
luz, la light

LL

llamar to call; —se to be called
llano, el plain
llano flat, level
llanura plain
llave, la key
llegada arrival
llegar to arrive; — a ser to become
llenar to fill
lleno filled, full
llevar to bring; to bear; to carry; to wear; —se to carry away
Llobregat *river south of Barcelona*
llorar to cry, weep
llover (ue) to rain
lluvia rain

M

maceta flowerpot
madera wood
madre, la mother
Madrid *capital city of Spain, located in the province of the same name in central Spain*
madrileño native of Madrid, Madrilenian

madroño madroña, strawberry tree

maestro maestro, master

Magallanes: Fernando de Magallanes (1470-1521) Ferdinand Magellan, *Portuguese navigator in the service of Spain;* estrecho de — Strait of Magellan

magnífico magnificent

Mahoma Mohammed

maíz, el corn

majestuosamente majestically

majestuoso majestic

Málaga *seaport city in southern Spain*

malo (mal) bad, evil

Mallorca Majorca, *largest of the Balearic Islands*

mallorquín, el *dialect spoken in Majorca; native of Majorca*

manada bundle, handful

Mancha, la *region of south-central Spain*

manchego from la Mancha

mandar to send; to order

mando command

manera manner, way; de esta — in this way; de tal — in such a way

manga sleeve

mango handle

manifestación evidence

mano, la hand; a manos de at the hands of; into the hands of

manta blanket

mantener maintain

manzana apple

Manzanares *river running on the west side of Madrid*

manzano apple tree

mañana morning; tomorrow; a la — siguiente next morning; de — early in the morning; por la — in the morning

mar, el sea

Maragall: Juan Maragall (1860-1911), *Catalan poet*

Maragatería *district in León*

maragato *native of the Maragatería*

maravilla marvel, wonder

maravilloso marvelous, wonderful

Marcial: Marco Valerio Marcial (first century) Martial, *Latin poet born in Spain*

marchar to go away, go off

marfil, el ivory

marido husband

marino seaman

marítimo maritime

Martínez: José Martínez Ruiz, "*Azorín*" (1875-), *Spanish writer*

martirio martyrdom

marzo March

más more; in addition to; — de more than; — bien rather; no — que only

matar to kill

material material

mayo May

mayo, el Maypole

mayor largest; older, oldest; greatest; main

mayoría majority, most
mazorca ear of corn
me me, to me
Meca Mecca
media median, average
mediano average
medianoche, la midnight
mediante through, by
medicinal medicinal
medida measure
medieval medieval
medio half; middle; **en — de**
in the midst of; **por — de** by
means of
mediodía, el noon
meditación meditation
Mediterráneo Mediterranean
(sea)
Méjico Mexico
mejor better, best
mejorar to improve
melocotón, el peach
melón, el melon
memorable memorable
memoria memory; imprint
mencionar to mention
menor younger; less; smaller
Menorca Minorca, *second
largest of the Balearic Islands*
menos less; **a lo —** at least;
echar de — to miss; **— de**
less than; **no poder — de** to
be unable to; **por lo —** at least
mentira lie
menudo: **a —** often
mercado market
mercantil commercial, mer-
cantile
mercurio mercury

merecer to deserve
merendar to lunch
Mérida *city in southwestern
Spain*
meridional southern
mérito merit, worth
mes, el month
meseta plateau, table-land
metal, el metal
meter to put in; **—se monja** to
become a nun; **—se monje** to
become a monk
mezquita mosque
mí me
miedo fear; **tener — de** to be
afraid of
miel, la honey
miembro member
mientras while; **— que** while
miércoles, el Wednesday
mil thousand
milagroso miraculous
milenario thousand year old,
millenary
militar military
milla mile
millón, el million
mimbre, el wicker
mina mine
mineral, el mineral
minero miner
minuto minute
mío of mine
mirar to look at, notice
Miró: Gabriel Miró (1879-
1930), *Spanish writer*
Miró: Joan Miró (1893-),
Spanish painter
misa mass

misionero missionary
Misisipí Mississippi
mismo same, self; lo — the
  same thing
misterio mystery
misterioso mysterious
místico mystic
moda style; de — stylish,
  fashionable
modelo model
moderado conservative
moderno modern
modesto modest
modismo idiom
molestar to bother
molinera miller's wife
molino windmill
momento moment
monaguillo acolyte
monarca, el monarch
monarquía monarchy
monasterio monastery
moneda coin; money
monja nun
monje, el monk
monotonía monotony
monótono monotonous
montaña mountain
montañoso mountainous
montar to mount; — caballo
  to ride horseback
monte, el mountain
Montserrat *mountain in the
  province of Barcelona, famous
  for its monastery*
monumento monument, building; important literary work;
  example
moral moral

moreno brunet
morera white mulberry tree
morir (ue, u) to die
moro Moor
mostrar (ue) to show
mover (ue) to move
movimiento movement
muchacha girl
muchacho boy
mucho a great deal, much; *pl.*
  many
mudar to change
mudéjar *Spanish Arab living in
  Christian territory; style of
  architecture*
muerte, la death
muerto (*p.p.* of morir) dead
mujer, la woman
Mulhacén (el) *highest peak in
  peninsular Spain*
multitud crowd
mundanal mundane, worldly
mundial universal
mundo world; todo el —
  everybody
muñeira *Galician dance*
muralla wall
Murcia *region, province and
  city in southeastern Spain*
murciano native of Murcia
Murillo: Bartolomé Esteban
  Murillo (1617-1682), *Spanish
  painter*
murmullo murmur
muro wall
museo museum
música music
musical musical
músico musician

musulmán, el Mussulman
musulmán Mohammedan
muy very

N

nacer to be born
nacimiento birth
nación nation
nacional national
nada nothing
nadie anyone; no one
naranja orange
naranjo orange tree
nariz, la nose
natal native
natural, el native
natural natural, real
naval naval
Navarra *province and former kingdom in northern Spain*
Navas de Tolosa *village in southern Spain*
nave, la nave, aisle; ship
navegable navigable
navegación navigation
necesario necessary
necesitar to need
negro black
Nelson: Horacio Nelson Horatio Nelson, *English admiral*
Nervión *river in northern Spain*
nevado snow-capped
ni not even; nor; — ... — neither ... nor
niebla fog
nieto grandchild
nieve, la snow
niña girl

Niña *one of Columbus' ships on his first voyage to the New World*
niño child; *pl.* children
nivel, el level
no no, not
noble, el noble (man)
noble noble
nobleza nobility
noche, la night
nombradía renown
nombrar to name, appoint
nombre, el name; poner el — de to name
noreste, el northeast
noria noria, chain pump
noroeste, el northwest
norte, el north
norteamericano North-American
nos us; to us
nota note, footnote, mark; touch
notable notable, famous, important
notar to notice
noticia notice
notificar to notify
novecientos nine hundred
novela novel
novelador, el novelist
novelista, el novelist
noventa ninety
noviembre, el November
novillo young bull
novio sweetheart
nube, la cloud
núcleo nucleus, group
Nueva York New York

nueve nine
nuevo new; de — again
Numancia *ancient Spanish city
near Soria*
número number
numeroso numerous, large
nunca never
Núñez de Balboa: Vasco Núñez
de Balboa (1475-1517), *Spanish explorer, discoverer of the
Pacific Ocean*

O

o or
oasis, el oasis
objeto object, aim
obligación duty, responsibility
obligar to oblige
obra work
observar to observe
obstinado obstinate, stubborn
oca goose
ocasión opportunity, occasion
octubre, el October
ocupar to occupy
ocurrir to occur
ochenta eighty
ocho eight
oda ode
oeste, el west
ofender to offend, to make
angry
ofensiva offensive
oficial official
ofrecer to offer
oír to hear
ojo eye

¡olé! Bravo!
olifan *name of Roland's horn*
olivar, el olive grove
olivo olive tree
oloroso fragrant
olvidar to forget
olvido forgetfulness
once eleven
ópera opera
operación operation
optimista optimistic
oración prayer
orador, el speaker
oral oral
orar to pray
orden, la order
Orense *city and province in
northwestern Spain*
organizar to organize
órgano organ
orgullo pride
orgulloso proud
oriental eastern, oriental
orientar to face
origen, el origin
original original
originalidad originality
orilla bank; a —s on the banks
ornamentación ornamentation
oro gold
Orotava *town on the island of
Tenerife*
ortodoxia orthodoxy
oscuro dark
oso bear
otoño autumn
otro, otra other, another
oveja sheep

Oviedo *city and province in northern Spain*

P

paciencia patience
pacífico peaceful
Pacífico Pacific Ocean
Paderewski: Ignace Paderewski, *Polish pianist*
padre, el father
país, el country
paisaje, el landscape
paja straw
pájaro bird; **a vista de —** a bird's-eye view
palabra word
palacio palace
Palacio: Armando Palacio Valdés (1853-1938), *Spanish novelist*
Palencia *province in north-central Spain*
palma palm leaf
Palma *city on the island of Majorca*
Palmas, Las *city in the province of the same name*
palmera palm tree
palo pole, stick
Palos *town in southwestern Spain*
Pamplona *city in the province of Navarre*
pamplonica native of Pamplona
pan, el bread
panorama, el panorama
pantalón, el trousers
panteón, el pantheon
papel, el part, role

para in order to, to; by; **— con** toward; **¿ — qué?** what for?
paraguas, el umbrella
paraíso paradise
parar to stop
parecer to appear, seem; **—se a** resemble; **— mentira** to seem incredible
pared wall
pareja pair, couple
parentesco relationship
paréntesis, el parenthesis
París Paris, *capital of France*
parque, el park
párrafo paragraph
parte, la part; party; **en todas —s** everywhere
partición partition
participación participation
particular special
partida deed
partir to leave, depart; **a — de** from
pasado past
pasar to pass, spend; to happen; **— a formar** to become; **—se** to pass away
pasatiempo pastime
pascua religious feast; **— de Resurrección** Easter Sunday
paseo walk, promenade
pasión passion
paso pass; *religious scene representing the Passion of Christ, carried in Holy Week processions;* **a su —** on passing
pasto pasture
pastor, el shepherd
patata potato

patio courtyard, court

patria country, homeland;
— grande one's homeland at
large; — chica the region,
state or province to which one
belongs or in which one was
born

patrón patron, protector

paz, la peace

pecador, el sinner

pedazo piece

pedir (i) to ask (for), request

Pedro Peter; San — Saint
Peter, *one of the twelve
Apostles*

peladilla sugared almond

pelado bare

Pelayo *first king of Asturias*
(718-737)

peligro danger

pelo hair

pelota ball

pena grief, pain

penetrante penetrating, piercing

penetrar (en) to penetrate, enter

península peninsula; la — Ibérica Iberian Peninsula

peninsular peninsular

pensamiento thought

pensar (ie) to think; — en to
think of (about)

peña rock

pequeño small

Peral: Isaac Peral (1851-1895),
*Spanish seaman, inventor of a
submergible torpedo boat*

perder (ie) to lose

pérdida loss

Pereda: José María de Pereda
(1833-1906), *Spanish novelist*

peregrino pilgrim

Pérez Galdós: Benito Pérez
Galdós (1843-1920), *Spanish
novelist and dramatist*

Pérez: Ramón Pérez de Ayala
(1881-), *Spanish author*

perfección perfection

período period, epoch

perla pearl

permanecer to remain, stay

pero but

perpetuar to immortalize, per-
petuate

perpetuo perpetual, everlasting

perro dog

perseguir (i) to pursue, to chase

perseverante persevering

persistir to persist, continue

persona person; *pl.* people

personaje, el character; per-
sonage

personalidad personality

pertenecer to belong

Perú Peru, *country in South
America*

pesar: a — de in spite of

pesca fishing

pescador, el fisherman

peseta *standard coin of Spain*

pez, el (*pl.* peces) fish

pianista, el pianist

picar to sting

picaresco picaresque

pícaro rogue, rascal

pico peak, summit

pie, el foot; a — on foot

piedra stone

pilar, el pillar
pimiento pepper
pino pine tree
Pinta *one of Columbus' ships on his first voyage to the New World*
pintar to paint
pintor, el painter
pintoresco picturesque
pintura painting; description
Pirineos, los Pyrenees, *mountains between France and Spain*
Pirineos (Bajos) Basses-Pyrénées, *department in southwestern France*
Pirineos Orientales Pyrénées-Orientales, *department in southern France*
Pizarro: Francisco Pizarro (1475-1541), *Spanish explorer and conqueror of Peru*
plan, el plan
plano level
planta plant
plata silver
plátano banana
plateresco plateresque
plato dish
playa sea shore, beach
plaza plaza, square; seat
pliegue, el pleat
Plinio: Plinio el Viejo (23-79), Pliny the Elder, *Latin writer*
plomo lead
población population
poblador, el settler
pobre poor
pobreza poverty

poco little, not much; not very; *pl.* few; — **después** shortly after; — **a** — little by little
poder, el power, control
poder (ue) to be able; **no** — **menos de** to be unable to
poderío power
poderoso powerful
poema, el poem
Poema del Cid Poem of the Cid
poesía poetry
poeta, el poet
poético poetical, poetic
polaco Polish
política policy
políticamente politically
político political
poner to put, to place; — **el nombre** to call; — **sitio a** to lay siege to; —**se** to put on; —**se** to set (*the sun*); —**se en camino** to start out; —**se mal de salud** to lose one's health
Pontevedra *province in northwestern Spain*
popular popular, of the people
popularizar to popularize
poquito little bit
por per, by, for, because of, on account of, through; ¿ — **qué** why?; — **eso** for that reason
porque because
portal, el doorway
pórtico portico, doorway
Portugal *one of the two countries in the Iberian Peninsula*
portugués, el Portuguese (language)

portugués Portuguese
poseer to possess
posibilidad possibility
posible possible
positivo positive, firm
posterior subsequent
postizo false
postrarse to kneel
pozo well
práctico practical
prado meadow
Pravia *town in Asturias*
praviano native of Pravia
predicar to preach
preferir (ie, i) to prefer
pregunta question
preguntar to ask
prehistórico prehistoric
premio prize; en — de as a reward for
preparar to prepare
prerromano pre-Roman
presenciar to witness
presentar to present
presente, el present
preso prisoner
prestar to lend
pretender to try, pretend
primavera spring
primero (primer) first
primitivo primitive
princesa princess
principal principal, main, chief
príncipe prince
principiar to begin
principio beginning; al — at first, at the beginning; a —s de toward the beginning of
privar to deprive

probable probable
problema, el problem
proclamar to proclaim
producir to produce
productivo productive, fertile
producto product
productor, el producer
profesar to profess
profesor, el professor, teacher
profundamente deeply
profundidad depth
profundo deep
programa, el program
progreso progress
promesa promise
prometer to promise
pronto soon; de — suddenly
pronunciar to make, pronounce
propagación spreading
propiedad quality; propriety, naturalness
propio own
proponer to suggest; —se to plan, intend
proposición proposition
propósito: a — fit, apt
prosa prose
prosaicamente prosaically
prosperidad prosperity
próspero prosperous
protagonista, el protagonist, hero
protección protection, help
proteger to protect
protestante Protestant
protestar to protest
provenzal, el *Romance language of southern France*
provincia province

prueba proof
público public
pueblo people; **de – en –**
from town to town
puente, el bridge
puerta door
puerto port
Puerto Rico *island of the West*
Indies group
pues as, for
pulgada inch
punta top, point
puro pure

Q

que which, that; than; for, because
¡qué! how!; what a!
¿qué? what?; how?
quedar(se) to remain, be; **–se**
con to keep
quema burning
quemar to burn
querer to want, wish; **– decir**
to mean
queso cheese
quien who, whom; he who
¿quién? who?; **¿a – ?** whom,
to whom
quince fifteen
quinientos five hundred
quinto fifth
quitar to take off
quizá(s) perhaps

R

racial racial
raíz, la root
rama branch

ranura slot
rapidez, la rapidity
rápido fast, quick
raro rare
ratón, el mouse
raza race
razón, la reason; **por esta –** for
this reason; **con –** rightly so
real royal
realidad reality; **en –** indeed
realismo realism
realizar to fulfill; to make
rebelión rebellion
recibir to receive
reciente recent
recoger to gather, collect
reconquista reconquest; **la Re-**
conquista *the Reconquest of*
Spain from the Mohammedans
reconquistar to reconquer
recordar (ue) to recall, remember
recreo recreation
recto right
rector, el *president of a uni-*
versity
recuerdo reminder, memento
recurso resource
red, la network
referir (ie, i) to tell, relate
reflejar to reflect
reflejo reflection
reflexivo thoughtful
reforma reform; **la Reforma**
the Reformation
reformar to reform
refrán, el proverb, saying
refrescar to cool, refresh
refugiarse to take refuge
regalar to give as a present

regar (ie) to irrigate, water
regata regatta
régimen, el regime
región region
regional regional
regla rule; por — general generally
regreso return
reina queen
reinado reign
reinar to rule
reino kingdom
reír (i) to laugh; —se (de) to laugh (at)
reja iron grating at window; grille work
relación relation
relacionar (con) to relate (to), connect (with)
religión religion
religioso religious
relinchar to neigh
reloj, el clock
remedio remedy, cure
remo oar
remolacha beet
remontarse to go back to
remoto distant, remote
rencor, el grudge
rendición surrender
rendirse (i) to surrender
renombre, el renown, fame
reparar to repair
repetir (i) to repeat
representar to represent
representativo typical, representative
república republic
reputación renown, reputation

requerir (ie, i) to require
reservado reserved
residencia residence
resistencia resistance
resistir to hold out, resist
resolver (ue) to solve
respecto respect
respeto respect
responsabilidad responsibility
restaurante, el restaurant
resto, el remainder, rest; pl. remains
resultado result
resultar to be, to result, to prove to be
resumen, el summary
resumir to sum up
resurrección resurrection
retirar to retire, withdraw
retratar to portray, to describe
retrato portrait
reunión gathering
reunir to unite; to get together; include
revés, el reverse; al — contrary to
revivir to revive
rey, el king
reyes, los sovereigns; los — Católicos the Catholic Sovereigns, Ferdinand of Aragon (1479-1516), and Isabella of Castile (1474-1504)
rezar to pray
ría estuary
ribera bank
rico rich
ridículo ridiculous
riego irrigation, watering

riguroso hard
río river
Rioja *section in the province of Logroño*
Río Tinto *town in southwestern Spain*
riqueza wealth; source of wealth
risueño pleasant
ritmo rhythm
rito rite, ritual
rival, el rival
roble, el oak tree
robusto robust
roca rock
rocío dew
rocoso rocky
rodear to encircle, surround
Rodrigo Roderick; **Don —** (710-711?), *the last king of the Visigoths;* **— Díaz de Vivar** (1040?-1099), *Spanish national hero*
rojizo reddish
rojo red
Roldán Roland
Roma Rome
romance, el Romance, Romanic
románico Romanesque
romano, el Roman
romano Roman
romántico romantic
romería pilgrimage
romper to break, tear; **— a** to burst out
Roncesvalles *mountain pass in the Pyrenees*
ronda serenade
rosca round bun
rostro face

rubio blond
rueda wheel
ruido noise
rumano, el Rumanian language
rumbo course, direction; **con — a** on the way to

S

sábana sheet
saber, el knowledge
saber to know, know how; **— de memoria** to know by heart
sabio wise person
sabroso delicious
sacar to get, take out; **— a luz** to bring to light
sacrificio sacrifice
saeta arrow, dart
sagrado holy
Sahara: desierto de — *vast desert in northcentral Africa*
Salamanca *city in the province of the same name in northcentral Spain*
salir (de) to leave, go out; **— a** to go out onto (into)
salón, el hall
salpicar (de) to sprinkle (with)
saltar to jump
Salvador, el *country in Central America*
salvaje wild
salvar to save
Salzillo: Francisco Salzillo (1707-1783), *Spanish sculptor*
san *apocopated form of* **santo**
San Cugat del Vallés *town in the province of Barcelona*

Sancho II *King of Castile and Leon* (1065-1072)

sangre, la blood

San Quintín Saint Quintin *town in northeastern France*

San Sebastián *seaside resort in northern Spain*

Santa Cruz de Tenerife *Spanish province in the Canary Islands*

Santa María *one of Columbus' ships on his first voyage to the New World*

Santander *seaport city in the province of Santander*

Santiago Saint James, *patron saint of Spain*

Santiago: Santiago de Compostela, *city in northwestern Spain*

santo holy; saint

Santo Domingo *former name of the capital of the Dominican Republic*

santuario church

saquear to sack

saqueo sacking

Sarasate: Pablo Martín Sarasate (1844-1908), *Spanish violinist*

sardana *Catalonian dance and tune*

sardina sardine

sátira satire

savia sap

se *may be used with a verb to translate the passive voice in English* (*i.e.,* **se conoce** *is known*)

secar to dry

sección part, section

seco dry

sed, la thirst;   **tener —** to be thirsty

seda silk

sedería silk

segar (ie) to reap

Segovia *city and province in westcentral Spain*

segoviano native of Segovia

seguir (i) to follow, continue

según according to

segundo second

Segura *river in southeastern Spain*

seguridad certainty

seis six

seiscientos six hundred

seises, los *the choir boys who dance in certain cathedrals on special occasions*

sello stamp

semana week

semblante, el countenance

semejante similar to, like

semitropical semitropical

sencillo simple

senda path

Séneca: Lucio Anneo Séneca, *Roman philosopher, born in Spain in the first century*

senequismo *philosophy of Seneca*

sensibilidad . sensitiveness

sensual sensual

sentido deeply felt

sentido, el sense

sentimental sentimental

sentimiento sentiment, feeling

sentir (ie, i) to feel

señal, la sign
señora lady
señorita young lady
separar to separate
sepulcro tomb
ser to be; — de to be comprised of
serie, la series
serio serious
serpiente, la serpent, snake
Sert: José María Sert (1876-1945), *Spanish painter*
servicio service
servir (i) to serve; — de to be, serve as
setecientos seven hundred
setenta seventy
seudónimo pen name
severamente severely
severo severe, serious
Sevilla Seville, *city and province in southern Spain*
sevillana, la *a Sevillan dance and music*
sevillano native of Seville
sexto sixth
si if; whether
sí yes; herself
Sicilia Sicily
sidra cider
siempre always
sierra mountain range; — de Gredos *in central Spain;* — de Guadarrama *in central Spain;* — Morena *in southern Spain;* — Nevada *in southern Spain*
siete seven

siglo age, century; Siglo de Oro Golden Age
significar to mean
siguiente following
sillería stalls (*in a choir*)
simbolizar to symbolize
símbolo symbol
sin without; — embargo nevertheless
sincero sincere
sinfín, el great number
sino but (*only after a negative*)
sistema, el system
sitio siege; place, location
situación situation, location
situar to situate
sobre on, upon, above; — todo above all, especially
sobresalir stand out, excel
sobrio frugal, sober
social social
sociedad society
sol, el sun
solamente only
soldado soldier
solemne solemn
soler (ue) to be accustomed to
solo alone, single
sólo only
soltar (ue) to loose, let loose
sombra shade
sombrío somber
someter to submit, subject; to subjugate
son, el music, tune
soñar (ue) (con) to dream (of)
soportal, el arcade
sordomudo deaf and dumb

Soria *city and province in northcentral Spain*
Sorolla: Joaquín Sorolla (1863-1923), *Spanish painter*
sorprendente surprising
sorprender to surprise; —**se de** to be surprised at
Soto: Hernando de Soto (1499-1542), *Spanish explorer*
su her, his, their, its
subida ascent
subir to ascend, go up; bring up
submarino submarine
suceder to succeed, follow
sucesión succession
sucesor, el successor
sudeste, el southeast
sudoeste, el southwest
suelo land, soil
sueño dream
suerte, la luck; **tener —** to be lucky
suevo Swabian
sufrimiento suffering
sufrir to suffer, undergo
Suiza Switzerland
sujeto subjected to
suma utmost; total
sumamente exceedingly
sumergible submergible
superar to surpass
superior superior
superioridad superiority
supersticioso superstitious
supremacía supremacy
suprimir to do away with, suppress

sur, el south
surgir to spring up, arise
suspirar to sigh
sutil delicately penetrating
suyo his, hers

T

tabaco tobacco
taciturno taciturn, quiet
Tajo *river in central Spain that flows into the Atlantic at Lisbon*
tal such, such a; **— vez** perhaps
Talavera de la Reina *city in the province of Toledo*
talento talent
tallar to carve
talle, el waistline
tamaño size
también also, too
tambor, el drum
tamboril, el small drum
tampoco neither
tan so
tanto so much, so far; *pl.* so many; **— como** as much as
tapar to cover
tarde late; **más —** later
Tarragona *seaport city in the province of Tarragona in northeastern Spain*
te to you; you
teatro theater
técnica technique
techo ceiling, roof
Teide, el *mountain and volcano in Tenerife*

Téllez: Gabriel Téllez, *pseudonym* Tirso de Molina (1584?-1648), *Spanish playwright*
tema, el theme, subject matter, topic
temperamento temperament
tempestad storm
templado temperate
templo temple, church
temporada season
temporal worldly
temprano early
tener to have, possess; — ...
    años to be ... years old;
    — hambre to be hungry;
    — ganas de to feel like, wish;
    — lugar to take place;
    — miedo (de) to be afraid (of); — que to have to
Tenerife *largest of the Canary islands*
Tenochtitlán *ancient Aztec capital of Mexico*
tercero third
terciopelo velvet
terco stubborn
Teresa de Jesús: Santa Teresa de Jesús (1515-1582), *Spanish saint and mystic writer*
terminar to end, finish
terrenal earthly
terreno land, ground
territorial territorial
territorio territory, region
Teruel *city and province in eastcentral Spain*
tesoro treasure
testigo witness

texto text
tez, la complexion
ti you (*after prepositions*)
Tibidabo *mountain near Barcelona*
tiempo time; weather;   en algún — at one time
tienda store, shop
tierra land, soil
típico typical
tipo kind, class, type
tirar to throw; to tend (to)
título title
tocador, el player
tocar to play
todavía yet, still
todo all, everything; *pl.* every; del — entirely; — el mundo everybody; todos los días every day; sobre — above all, especially
tojo furze
toldo awning
toledano, el native of Toledo
toledano Toledan
Toledo *city and province in central Spain;* Montes de — *mountains in central Spain*
toma capture
tomar to take; — declaración to take a deposition
Tomás Thomas
tomate, el tomato
toque, el stroke
torero bullfighter
toro bull
torpedero torpedo boat
torre, la tower; summer home

tortuoso winding
trabajador industrious, hard working
trabajar to till, work
trabajo work
tradición tradition
tradicional traditional
tradicionalista traditionalist
traducción translation
traducir to translate
traer to bring
tragedia tragedy
traición treason
Trajano Trajan (53-117), *Roman emperor born in Spain*
traje, el dress, costume, suit
transformar to change, to transform
transparente transparent
tranvía, el street car
trashumante nomadic, wandering
trasladar to transfer
tratado treaty
tratar to treat; — **de** to try to; —**se de** to be a question of
trece thirteen
treinta thirty
trenza braid
tres three
trescientos three hundred
tribu, la tribe
tribunal tribunal, court
trigo wheat
triste sad; **lo** —**s** how sad
tristeza sadness
triunfal triumphal

triunfo victory, triumph
tronar (ue) to thunder
tronco trunk
trono throne
tropa troop
trovador, el troubadour, minstrel
trozo piece, portion
tu your
tumba tomb
turbar to disturb
turco Turk
Turia *river in eastern Spain*
turismo tourism
turista, el tourist
turrón, el nougat

U

u or (*before words beginning with* **o** *or* **ho**)
último last; **por** — finally
un, uno, una a, an, one; *pl.* some; **uno a uno** one by one; **a unos (unas)** at about
Unamuno: Miguel de Unamuno (1864-1936), *Spanish essayist and philosopher*
únicamente only
único only; unique; **el** — the only one
unificación unification
unión marriage, union
unir to join, unite
universal universal
universidad university
usar to use
uso use
utilidad usefulness, use

Utrecht *city and province in the Netherlands*

uva grape

V

vaca cow

vagabundo vagabond

Valdepeñas *city in the province of Ciudad Real*

Valencia *seaport, province and region in eastern Spain*

valenciano, el dialect (of Valencia)

valenciano, el native of Valencia

valenciano Valencian

valer to be worth; — **la pena** to be worth while; to be a good idea

valiente valiant, brave

valioso valuable

valor, el bravery; value

Valladolid *city and province in northcentral Spain*

valle, el valley

Valle-Inclán: Ramón del Valle-Inclán (1869-1936), *Spanish novelist and dramatist*

vándalo Vandal

variación variation

variar to change, vary

variedad variety

varios several, various

vasallo vassal

vasco, el native of Basque country

vasco Basque

Vascongadas, las the Basque provinces, *in northern Spain*

vascuence, el Basque language

vasto immense

Vd. *abbreviation for* **usted**

vecino, el neighbor

vecino near by

vega *cultivated plain*

Vega: Lope Félix de Vega Carpio (1562-1635), *Spanish dramatist*

vegetación vegetation

veinte twenty

veintiocho twenty-eight

Velázquez: Diego Rodríguez de Silva y Velázquez (1599-1660), *Spanish painter*

velo veil

vencer to conquer, defeat

vender to sell

venenoso poisonous

venerar to venerate, worship

vengar to avenge

venidero future

venir to come

venta inn

ventana window

ventanal, el large window

ver to see

veraneante, el summer visitor

veraneo summering

verano summer

verdad truth

verdaderamente truly, really

verdadero real, true

Verdaguer: Jacinto Verdaguer (1845-1902), *Catalan poet*

verde green

Verdi: Guiseppe Verdi, *Italian composer*

verdura vegetables

versión version
verso line of poetry
verter (ie) to spill
vestido dress
vestir (i) to dress
vez, la (pl. veces) time; a la —
at the same time; a la misma —
at one and the same time; de
— en cuando from time to
time; en — de instead of;
por última — for the last time;
tal — perhaps; a veces at
times; dos veces twice
vía road; — Láctea Milky
Way
viaje, el voyage, trip
viajero traveler
víbora viper
victoria victory
Victoria: Tomás Luis de Victoria (1548-1611), Spanish
composer
vid grapevine
vida life
vidrio glass
viejo, el old man
viejo old
viento wind
Vigo seaport in northwestern
Spain
villancico Christmas carol
vino wine
viña vineyard
viñedo vineyard
violento violent
violinista, el violinist
virgen, la virgin; la Virgen
Blessed Virgin Mary
visible visible

visigodo Visigoth
visión picture
visita visit
visitante, el visitor
visitar to visit
vista view; a — de pájaro a
bird's-eye view
visto (p.p. of ver) seen
Vitoria city in the province of
Alava
¡Viva! Long live!
Vivar town near Burgos
vivir to live
vivo live, alive; penetrating;
bright
vizcaíno Biscayan
Vizcaya province in northern
Spain
vocabulario vocabulary
volcánico volcanic
volver (ue) to return; — a +
inf. to . . . again
voz, la voice
vuelta turn; return; dar la —
go around; estar de — to be
back
vulgar common

W

Wéllington: Duke of Welling-
ton British general

Y

y and
ya already; — que since, in as
much as; — no no longer, no
more
yermo barren

Z

zagala shepherdess; lass
Zamora *province in northcentral Spain*
Zaragoza Saragossa, *city and province in northeastern Spain*
zaragozano, el native of Zaragoza
zinc, el zinc
zona zone, region

Zorrilla: José Zorrilla (1817-1893), *Spanish lyric and dramatic poet*
Zubiaurre: Ramón *and* Valentín Zubiaurre, *Spanish contemporary painters*
Zuloaga: Ignacio Zuloaga (1870-1945), *Spanish painter*
Zurbarán: Francisco Zurbarán (1598-1662), *Spanish painter*

ESPAÑA